RECEITAS ESPECIAIS SEM GLÚTEN, SEM TRIGO OU SEM LATICÍNIOS

RECEITAS ESPECIAIS SEM GLÚTEN, SEM TRIGO OU SEM LATICÍNIOS

MAIS DE 100 OPÇÕES DE PRATOS DELICIOSOS, PERFEITOS PARA UMA DIETA SAUDÁVEL

PUBLIFOLHA

GRACE CHEETHAM

The Best Gluten Free, Wheat-free & Dairy-free Recipes
foi publicado no Reino Unido e na Irlanda em 2007 pela
Duncan Baird Publishers Ltd. 75-76 Wells Street, 6º andar,
Londres W1T 30H

COORDENAÇÃO DO PROJETO: PUBLIFOLHA
Assistência editorial: Nina Bandeira
Coordenação de produção gráfica: Soraia Pauli Scarpa
Produção gráfica: Mariana Metidieri

PRODUÇÃO EDITORIAL: ESTÚDIO SABIÁ
Edição: Silvana Salerno
Tradução: Áurea Akemi Arata
Preparação de texto: Paola Morsello
Revisão: Valéria Braga, Hebe Lucas
Editoração eletrônica: Pólen Editorial

EDIÇÃO ORIGINAL: DUNCAN BAIRD PUBLISHERS
Editora: Alison Bolus
Editor de arte: Daniel Sturges
Fotografia: William Lingwood
Estilistas culinários: Lucy McKelvie, Fergal Connolly
e Martha Dunkerley
Produção fotográfica: Helen Trent
Foto de capa: William Lingwood/Duncan Baird Publishers

Dados Internacionais de Catalogação na Publicação (CIP)
(Câmara Brasileira do Livro, SP, Brasil)

Cheetham, Grace
Receitas Especiais Sem Glúten, Sem Trigo ou Sem Laticínios : Mais de 100 opções de pratos deliciosos, perfeitos para uma dieta saudável / Grace Cheetham ; [tradução Áurea Akemi Arata]. – São Paulo : Publifolha, 2009.

Título original: The best gluten free, wheat-free & dairy-free recipes
ISBN 978-85-7914-096-9

1. Dieta isenta de leite - Receitas 2. Dieta sem glúten - Receitas 3. Dieta sem trigo -Receitas I. Titulo.

09-07226 CDD-641.563

Índices para catálogo sistemático:
1. Receitas sem glúten, trigo ou laticínios : Culinária 641.563

A grafia deste livro segue as regras do **Novo Acordo Ortográfico da Língua Portuguesa**.

PUBLIFOLHA
Divisão de Publicações do Grupo Folha
Al. Barão de Limeira, 401, 6º andar
CEP 01202-900, São Paulo, SP
Tel.: (11) 3224-2186/ 2187/ 2197
www.publifolha.com.br

Este livro foi impresso em agosto de 2009 pela gráfica Corprint sobre papel couché fosco 115 g/m².

Consulte um médico antes de iniciar qualquer tratamento mencionado neste livro. Se você está amamentando, tem restrições alimentares, alergia ou qualquer doença, consulte o médico antes de seguir os conselhos e as receitas deste livro.

Para Peter

Observações sobre as receitas

- Use ingredientes orgânicos
- Utilize leite de soja sem açúcar, creme vegetal de soja (sem leite) e iogurte à base de soja
- 1 colher (chá) = 5 ml 1 colher (sopa) = 15 ml 1 copo = 250 ml

A menos que haja indicação específica:

- Use frutas, legumes e ovos de tamanho médio e ervas frescas

Notas sobre os símbolos

Os símbolos se referem apenas às receitas, não às sugestões de acompanhamento. Todos os ingredientes estão assinalados, mesmo que tenham sido usados em pequena quantidade, como o açúcar no molho de peixe, o sal no molho tamari, e sementes nos óleos de gergelim e de canola. O mel e o melado foram classificados como açúcar, pois agem de forma semelhante a ele no organismo, mas os símbolos não foram usados no vinho, pois as variedades diferem muito. Algumas receitas com glúten estão marcadas claramente com o símbolo adequado. Leia as embalagens com cuidado antes de usar qualquer alimento ou bebida.

sumário

SÍMBOLOS

- contém glúten
- contém levedura
- contém ovos
- contém castanhas ou nozes
- contém sementes
- contém sal
- contém açúcar

introdução

Embarcar em uma dieta com restrições pode parecer uma jornada difícil. Não raro, os alimentos que devem ser cortados da refeição são justamente os mais difíceis de abandonar. Além disso, as receitas costumam parecer complexas e monótonas. Porém, este livro mostra que nem sempre é assim. Repleto de receitas de dar água na boca e fáceis de preparar, você vai aprender como criar comidas fantásticas para o seu dia a dia. Há opções para apreciar em casa, com a família e os amigos, e outras para embrulhar e comer fora. Você vai encontrar uma saborosa variedade de cafés da manhã, almoços, lanches, jantares, petiscos e sobremesas. Há um pouco de tudo: biscoitos, bolos de chocolate, panquecas, bolinhos, sushis, macarrão e pizza – todos criados especificamente para se ajustarem à sua dieta.

No princípio

Ao receber o primeiro diagnóstico de intolerância a glúten, trigo e laticínios, fiquei arrasada. Lembro que meu pai me levou a um café logo depois de sairmos do médico; olhamos para o cardápio totalmente confusos. Eu não podia comer nenhum dos pães, bolos e biscoitos ou tomar nenhuma das minhas bebidas prediletas. Acabei pedindo um suco de maçã; naquele momento, sentia-me infeliz. Após esse dia, durante muito tempo as minhas experiências culinárias foram um misto de confusão e desespero. Porém, aos poucos, me acostumei à privação, apesar do sabor insípido e da alimentação monótona e muito restrita. Mas, com o passar dos anos, comecei a fazer experiências novas na cozinha, aprendendo a preparar refeições que naturalmente não continham glúten, trigo e laticínios. Procurei criar receitas que também pudessem ser consumidas fora de casa, se necessário. Comecei a experimentar produtos diferentes das lojas de produtos naturais e supermercados: leites especiais, margarinas e queijos sem lactose, vários tipos de farinhas e grãos, novos temperos e molhos. Minha alimentação ficou com menos bolachas insossas de arroz e mais pães, pizzas, sobremesas e bolos saborosos, que incluí neste livro.

Selecionei as melhores receitas. Algumas levam ingredientes alternativos para substituir o glúten, o trigo ou os laticínios, outras não contêm esses ingredientes. Há desjejuns com vitaminas nutritivas e pratos quentes, almoços práticos para levar ao trabalho ou apreciar em casa, chás e lanches para o meio da tarde, jantares agradáveis, dos mais simples, que podem ser feitos em alguns minutos, até refeições familiares e banquetes incríveis, com acompanhamentos e sobremesas sofisticadas. Mescle e faça combinações a seu gosto: em vez de comer os muffins de banana com mirtilos no café da manhã, deixe-os para o lanche, por exemplo. Deguste as barrinhas de coco, manga e damasco no café da manhã, ou faça um almoço maravilhoso com uma das receitas do jantar, como o pato com molho de cereja ou o nhoque com molho de cogumelos e bacon. É você quem manda!

Quiche de espinafre (p. 76)

Sushi de salmão e camarão (p. 65)

Uma dieta sem glúten, trigo e/ou laticínios

Colocar na cabeça que se deve seguir uma dieta com restrições não é fácil. A situação pode ser bem cansativa, monótona e deixá-lo isolado de um grupo. No início, a ideia de ter de preparar cada simples refeição especialmente para você parece desanimadora. Sentimos vontade de pedir uma pizza ou um sanduíche e de compartilhar a comida da família ou dos amigos. Mas os benefícios de ter a própria alimentação são tão grandes que fazem tudo valer a pena. Escrevi este livro na esperança de facilitar essa tarefa. Tornei todas as receitas bem simples de seguir e preparar. Muitas podem ser feitas em menos de meia hora – algumas até em minutos. Não se assuste com a possibilidade de fazer sushi, pizza ou pão, pois logo verá que são bem fáceis e com frequência incluem técnicas simplificadas, inclusive o uso de processador para o preparo de tortas, bolos e sobremesas. Todos os ingredientes são fáceis de encontrar, todas as receitas têm símbolos para referência imediata, mostrando se contêm glúten, leveduras, ovos, nozes, sementes, sal ou açúcar, mesmo em quantidades mínimas. Para as pessoas que podem consumir glúten mas não trigo, incluí algumas receitas com glúten, mas elas contêm o símbolo desse ingrediente. Não é preciso ter muitos utensílios culinários para fazer a comida, tampouco experiência na cozinha. Além do mais, são receitas deliciosas, que podem ser compartilhadas com a família ou os amigos – desde almoços comuns de todos os dias a jantares elegantes e refeições sofisticadas para ocasiões especiais.

O lado positivo

Uma das vantagens de dietas como esta é que a alimentação se torna muito mais saudável. Ao retirar o glúten, o trigo e os laticínios da dieta, você será forçado a abandonar grande parte dos alimentos prejudiciais e consumirá produtos mais frescos, mais puros e nutritivos. Quando o organismo reage aos alimentos aos quais é alérgico ou intolerante, isso pode acontecer de uma forma defensiva, provocando sintomas que incluem náusea, vômito, dor

de cabeça, enxaqueca, dermatite, eczema, ataques de asma, choque anafilático, inchaço, problemas intestinais, fadiga crônica e depressão. O corpo pode reagir produzindo mais adrenalina para combater a reação indesejável e, com isso, comprometer o sistema imunológico. Assim, além de evitar os alimentos problemáticos, a melhor coisa a fazer é aumentar as reservas de vitaminas, minerais e outros nutrientes essenciais para fortalecer o sistema imunológico ao máximo.

Pode-se comprar uma vasta gama de alimentos especialmente adaptados a esse tipo de dieta, mas eles contêm aditivos e conservantes, que além de prejudiciais, contêm pouco valor nutricional. Em contrapartida, usei muitas frutas frescas e legumes em todo o livro, além de óleos ricos em ácidos graxos essenciais e adoçante de frutose (o açúcar natural das frutas) em vez de açúcar (com alto índice glicêmico). Também usei menos sal e frutose que o normal. O confit de pato, por exemplo, usa apenas um quarto da quantidade usual de sal, e os bolos e sobremesas, especialmente de chocolate, não têm o sabor enjoativo e doce dos produtos comprados prontos. Ao preparar as refeições das páginas seguintes, você não apenas obterá um efeito positivo sobre sua saúde, mas também se beneficiará da excelência nutricional da comida caseira saudável.

Mãos à obra

A primeira coisa a fazer é verificar se você tem um número suficiente de panelas, travessas e fôrmas, uma balança ou copo graduado, algumas colheres de medir e talvez um processador, uma batedeira portátil ou um míxer. Também, mantenha a despensa sempre cheia – comprando não muitos ingredientes de cada vez, ou fazendo uma compra geral bem grande, assim terá o básico e ótimos lanches e petiscos para beliscar quando sentir fome.

Ao lado, Tortinhas de frutas vermelhas (p. 91)

Em vez de farinhas com glúten, usei outras farinhas nas diversas receitas. As farinhas de arroz e de grão-de-bico são ótimas alternativas para muffins, bolos, biscoitos, pães e tortas, além de terem um sabor sutil delicioso. O fubá, uma versão mais fina da farinha de milho, tem textura mais áspera e sabor levemente mais doce que as farinhas; a fécula de batata e a farinha de milheto, mais difícil de ser encontrada, são excelentes para encorpar a receita. De vez em quando, usei duas farinhas que contêm glúten: a de cevada, ótima para dar liga, mas em quantidades pequenas, pois tem sabor marcante; e a clássica farinha de centeio, ótima pelo sabor e a textura. Se você for intolerante ao glúten, use as alternativas sem a substância, fornecidas em várias outras receitas, e substitua o pão de centeio por um dos outros pães.

Atualmente, há uma boa oferta de produtos sem laticínios no Brasil. Usei leite de soja em várias receitas e, se encontrar, ou quiser fazer, recomendo a versão sem adição de açúcar, pois é muito saboroso e dura bastante na geladeira. Se preferir, use leite de cabra ou ovelha (se puder), de arroz ou aveia (se for tolerante a glúten) ou leite de nozes ou castanhas. Também uso iogurte de soja e tofu, creme vegetal de soja (sem lactose) (vendido como creme de soja na seção de margarina e manteiga), que pode ser usado em qualquer patê.

Também usei bastante azeite, pois é muito saudável, especialmente o extravirgem. Use o óleo de canola, girassol e soja para refogar e grelhar e o de linhaça para temperar saladas.

Utilizei a frutose, que é basicamente o açúcar não refinado da fruta, sendo uma ótima alternativa para o açúcar refinado, pois o seu IG é cinco vezes menor que o da sacarose. Outra alternativa é o melado, por ter baixo IG e por conter nutrientes valiosos.

Vale a pena ter na despensa frutas secas, nozes, castanhas e sementes, que podem fazer aquela diferença em uma receita, além de serem ótimos puros, como lanche. As amêndoas e o coco, em especial, são deliciosos e repletos de nutrientes, além de ficarem ótimos cozidos ou assados, podendo ser usados de várias formas, pois dão um sabor intenso e rico.

Faça também um estoque de molhos, condimentos e outros temperos, como o tamari (molho de soja sem trigo) e caldos em tablete e em pó sem glúten, fermento ou laticínios. Leguminosas e feijão também são muito úteis, pois são baratos e nutritivos em qualquer receita, além de serem fonte de proteína e fibras e terem baixo IG. Experimente vagem, feijão-manteiga, lentilha, grão-de-bico – a lista é enorme. Finalmente, encha o armário com fubá, arroz (basmati, para risoto e integral), macarrão oriental e folhas de arroz para rolinhos primavera, macarrão sem glúten e vários grãos como trigo-cachá, sarraceno e quinua; assim, você terá a base para todos os tipos de refeição.

Receba produtos orgânicos em casa (há locais que fazem entregas em domicílio) e tenha legumes, verduras e frutas orgânicas sempre à disposição, com o benefício de não ter de carregar pacotes. É essencial evitar as substâncias químicas dos alimentos não orgânicos, especialmente na carne, no peixe e no tomate. Além disso, os orgânicos são produzidos de acordo com as estações do ano, portanto mais naturais e melhores para o seu organismo. Tente consumir muita salada, legumes, verduras e frutas cruas ou no vapor, assim seu sistema imunológico vai se beneficiar imensamente. Também abandone os aditivos e os conservantes (que provocam efeitos colaterais desagradáveis) e beba muita água limpa e pura.

Auxílio adicional

Consulte um nutricionista, ele o ajudará a identificar qualquer outro problema alimentar. Dê-se ao luxo de algo prazeroso, fazendo terapias complementares como massagens, acupuntura, medicina alternativa – qualquer coisa que o deixe tranquilo e feliz. Mas, acima de tudo, cuide da dieta: logo perceberá a melhora dos sintomas desagradáveis e se sentirá com muito mais saúde e vitalidade. Vamos lá!

receitas de base

Use este capítulo para todas as receitas de base que forem necessárias. Há de tudo: de um caldo simples e uma massa com molho de tomate e pimentão frescos, a um rico molho holandês ou um picante macarrão tailandês ao curry verde. Também há várias receitas de pão fáceis de fazer e úteis para todos os dias: para comer no café da manhã, junto com sopas, saladas ou patês, ou a qualquer hora em que a fome bater e você quiser um lanche. Muitas receitas são ligeiramente diferentes das convencionais que usam glúten, trigo e leite, devido à natureza dos ingredientes. Mas não se preocupe – elas funcionam! Depois que você fizer seu próprio pãozinho, preparar uma torta de salmão e camarão com molho béchamel ou uma tarte tatin com massa sem glúten, sua vida nunca mais será a mesma!

molho de tomate com pimentão

Rendimento: cerca de 1,2 litro

1 Preaqueça o forno em temperatura alta. Corte 3 pimentões vermelhos (ou coloridos) no sentido do comprimento e retire o miolo. Coloque com o lado do corte para baixo numa fôrma untada por 4-5 minutos, até a pele chamuscar. Deixe esfriar e ponha em um saco plástico por 2-3 minutos. Descasque e corte em quadrados.

2 Faça um corte em cruz na pele de 1,5 kg de tomate, ponha em uma vasilha refratária grande e cubra com água fervente. Deixe por 2-3 minutos, retire, descasque e pique grosseiramente.

3 Aqueça 2 colheres (sopa) de azeite em uma panela grossa em fogo baixo. Junte 1 cebola grande picada e refogue por 2-3 minutos, até começar a dourar. Acrescente 2 dentes de alho amassados, deixe por 30 segundos, adicione 1 colher (sopa) de purê de tomate, o pimentão e o tomate.

4 Aumente o fogo para médio e cozinhe por 15-20 minutos, até o molho engrossar e reduzir. Tempere com sal e pimenta moída na hora.

molho béchamel

Rendimento: cerca de 650 ml

1 Ponha 175 ml de leite de soja, 1 cebola e ½ alho-poró picados e 2 folhas de louro em uma panela. Deixe ferver, abaixe o fogo e tampe; apure por 3-4 minutos. Retire do fogo e reserve por 20 minutos.

2 Derreta 50 g de creme vegetal de soja (sem lactose) em uma panela grossa em fogo baixo. Junte 40 g de farinha de grão-de-bico e 40 g de farinha de arroz. Retire a panela do fogo.

3 Aos poucos, adicione 450 ml de caldo de legumes (*p. 25*) ou caldo de legumes em pó sem glúten, fermento ou laticínios, depois a mistura de leite; mexa sempre.

4 Volte a panela ao fogo; deixe ferver, misturando sempre, pois vai engrossar. Se encaroçar, use um batedor até o creme ficar uniforme.

5 Quando ferver, abaixe o fogo e apure por mais 10 minutos. Mexa sempre para não grudar. Junte mais ½-1 copo de caldo fazendo um molho espesso mas que escorra da colher. Tempere com um pouco de sal e pimenta moída na hora.

molho branco com vinho

Rendimento: cerca de 550 ml

1 Derreta 25 g de creme vegetal de soja (sem lactose) em uma panela grossa em fogo baixo. Junte 35 g de farinha de grão--de-bico e 3 colheres (sopa) de farinha de arroz. Retire a panela do fogo.
2 Aos poucos, adicione 125 ml de vinho branco orgânico, 85 ml de leite de soja e 200 ml de caldo de legumes (*p. 25*) ou caldo em pó sem glúten, fermento ou laticínios. Mexa o molho sem parar.
3 Volte a panela ao fogo e deixe ferver, mexendo, enquanto engrossa. Se encaroçar, use um batedor até o creme ficar uniforme.
4 Assim que ferver, abaixe o fogo e apure lentamente por 10 minutos. Mexa sem parar para não grudar. Junte mais ½-1 copo de caldo para fazer um molho grosso, mas que escorra da colher. Tempere com um pouco de sal e pimenta moída na hora.

molho holandês

Rendimento: cerca de 300 ml

1 Ponha 2 colheres (sopa) de vinagre de vinho branco e 2 colheres (sopa) de água em uma panela pequena com 1 colher (chá) de pimenta-branca moída. Deixe ferver, abaixe o fogo e apure por 2-3 minutos, até o líquido reduzir pela metade. Ponha em uma vasilha pequena e deixe esfriar.
2 Coloque 4 gemas em uma tigela refratária e bata. Adicione a mistura de vinagre fria os poucos, usando o batedor manual para misturar bem.
3 Ponha a tigela sobre uma panela com água fervente em fogo baixo, mas não a deixe tocar na água. Bata a mistura por 3-4 minutos até engrossar bem.
4 Corte 100 g de creme vegetal de soja (sem lactose) em pedacinhos e junte aos poucos, batendo sempre.
5 Adicione 1 colher (sopa) de suco de limão e bata rapidamente, agregando bem, tomando cuidado para não aquecer demais, pois o molho pode talhar. Tempere com um pouco de sal e pimenta-branca moída e sirva imediatamente.

ras el hanout

Rendimento: cerca de 4 colheres (sopa)

1 Aqueça uma frigideira grossa em fogo baixo. Coloque 1 colher (sopa) de sementes de cominho e outra de coentro em grão e frite a seco por 2-3 minutos, até começarem a dourar. Mexa sempre para não queimar.
2 Tire do fogo e moa com o pilão ou o míxer até virar um pó fino. Coloque em uma tigela pequena.
3 Adicione 2 colheres (chá) de páprica doce defumada e mais 2 de gengibre em pó, 1 colher (chá) de cúrcuma e outra de canela em pó e ½ colher (chá) de cada de pimenta-de-caiena, noz-moscada ralada na hora, cravo moído, pimenta-da-jamaica moída, sal e pimenta-do-reino moída na hora.
4 Misture bem, transfira para um recipiente hermético limpo. Mantenha em local fresco e escuro por 5-6 meses e use conforme a necessidade.

pasta de curry verde tailandês

Rendimento: cerca de 12 colheres (sopa)

1 Aqueça uma panela grossa em fogo baixo. Adicione ½ colher (sopa) de sementes de cominho e outra de coentro em grão e frite a seco por 2-3 minutos, até começarem a dourar. Mexa sempre para não queimar.
2 Tire do fogo e moa no pilão ou com o míxer até virar um pó fino. Passe no liquidificador ou processador.
3 Descasque e pique a parte de baixo de 2 talos de capim-limão e ponha na batedeira, junto com 6 pimentas verdes grandes picadas, 2 cebolas roxas picadas, 2 cm de gengibre descascado e picado e 4 dentes de alho picados. Bata bem.
4 Adicione 2 colheres (chá) de pasta de camarão, uma tira de casca de limão ralada e 6 folhas de coentro picadas. Bata formando uma pasta grossa, ponha em um recipiente hermético e guarde na geladeira por até uma semana.

massa podre

1 Peneire 85 g de farinha de arroz, 85 g de farinha de grão-de-bico, 30 g de farinha de cevada e ½ colher (chá) de sal em uma tigela grande. Adicione 125 g de creme vegetal de soja (sem lactose) gelado em cubinhos e misture com as mãos até a farinha virar um farelo.

2 Faça um buraco no centro e adicione 1 ovo grande batido, mexendo ligeiramente com uma espátula de ponta arredondada para a mistura começar a agregar. Ela precisa formar uma massa com um pouco mais de umidade na base da tigela. Se estiver muito seca, acrescente aos poucos 1-2 colheres (sopa) de água fria para deixá-la mais grudenta. Se estiver grudenta demais, adicione farinha de arroz.

3 Faça uma bola. Embrulhe em papel-manteiga e leve à geladeira por 30 minutos. Essa quantidade dá para uma torta de 25 cm com 3 cm de altura, ou 5 tortinhas de 12 cm com 2 cm de altura.

4 A massa também pode ser feita no processador. Simplesmente coloque as farinhas peneiradas e o sal na tigela, adicione o creme vegetal e bata até a mistura ficar parecendo farelo. Adicione o ovo e bata mais 20-30 segundos até a mistura se juntar e formar uma massa grudenta; adicione mais água se for preciso.

massa podre (sem glúten)

1 Peneire 85 g de farinha de arroz, 85 g de farinha de grão-de-bico, 30 g de farinha de trigo-sarraceno e ½ colher (chá) de sal em uma tigela grande. Corte 125 g de creme vegetal de soja (sem lactose) gelado em cubinhos e, com as pontas dos dedos, belisque a mistura até virar um farelo.

2 Faça um buraco no meio e adicione 1 ovo grande batido, mexendo ligeiramente com uma espátula de lâmina arredondada para a mistura começar a agregar. A massa deve ter um pouco mais de umidade na base da tigela. Se estiver muito seca, junte aos poucos 1-2 colheres (sopa) de água fria para deixá-la mais grudenta. Caso esteja grudenta demais, adicione farinha de arroz.

3 Faça uma bola com a massa. Embrulhe em papel-manteiga e leve à geladeira por 30 minutos. Essa quantidade é suficiente para uma torta de 25 cm com 3 cm de altura, ou 5 tortinhas de 12 cm com 2 cm de altura.

4 A massa também pode ser feita no processador (*veja massa podre, ao lado*).

5 Note que essa massa é muito frágil e precisa ser manuseada com extremo cuidado. Abra-a rápida e delicadamente e estenda-a na fôrma. Se a massa rachar, aperte-a e feche com as mãos.

massa podre para doces

1 Peneire 75 g de farinha de arroz e 75 g de farinha de grão-de-bico em uma tigela grande. Adicione 50 g de amêndoas moídas e 35 g de adoçante de frutose. Corte 80 g de creme vegetal de soja (sem lactose) gelado em cubinhos e, com as pontas dos dedos frias, amasse as farinhas até virarem farelo.

2 Abra uma cova no centro da massa e adicione 1 ovo grande batido, mexendo levemente com a espátula de lâmina arredondada para a mistura começar a agregar. A massa precisa ficar com um pouco mais de umidade na base da tigela. Se estiver muito seca, acrescente aos poucos 1-2 colheres (sopa) de água fria. Se estiver mole demais, adicione farinha de arroz.

3 Faça uma bola com a massa. Embrulhe em papel-manteiga e leve à geladeira por 30 minutos. Essa quantidade dá para uma torta de 25 cm com 3 cm de altura, ou 5 tortinhas de 12 cm com 2 cm de altura.

4 A massa também pode ser feita no processador (*veja massa podre, p. 21*), adicionando as amêndoas moídas e o açúcar junto com as farinhas peneiradas.

massa para tarte tatin

1 Peneire 75 g de farinha de arroz, 50 g de farinha de grão-de-bico e 50 g de amêndoas moídas em uma tigela grande e adicione 50 g de adoçante de frutose. Corte 75 g de creme vegetal de soja (sem lactose) gelado em pedacinhos e, com as pontas dos dedos, esfregue até virar farelo.

2 Faça um buraco no centro e adicione 1 ovo grande batido, mexendo com a espátula de lâmina arredondada para a mistura começar a agregar. Continue incorporando o ovo aos poucos, até tudo estar misturado e a massa começar a se juntar, formando uma massa grudenta.

3 Faça uma bola com a massa. Embrulhe em papel-manteiga e deixe na geladeira por 30 minutos, pelo menos. Essa quantidade dá para uma torta de 25 cm com 3 cm de altura, ou para 5 tortinhas de 12 cm com 2 cm de altura.

4 A massa também pode ser feita no processador (*veja massa podre, p. 21*), adicionando as amêndoas moídas e o açúcar às farinhas peneiradas.

pão de centeio

1 Amasse 25 g de fermento biológico fresco, se optar por usá-lo, em 1 copo de água quente e deixe 10 minutos até espumar.
2 Peneire 300 g de farinha de centeio, 85 g de farinha de arroz, 85 g de farinha de grão--de-bico, 30 g de farinha de cevada, 90 g de sementes de abóbora e ½ colher (chá) de sal em uma tigela grande. Se não quiser usar o fermento fresco, adicione 7 g de fermento biológico seco instantâneo.
3 Faça um buraco no centro e coloque 2 colheres (sopa) de melado e o fermento crescido, se optar por usá-lo. Misture a farinha e o líquido aos poucos com a colher de pau, até formar uma massa macia. Se ficar muito seca, adicione mais água, 1 colher (sopa) por vez; se ficar grudenta, junte farinha de centeio.
4 Coloque a massa em uma superfície polvilhada com farinha de centeio e sove por 10 minutos até ficar macia e elástica. Recoloque na tigela, cubra com um pano de prato úmido e deixe descansar até dobrar de tamanho: cerca de 1 hora.
5 Unte levemente uma assadeira com creme vegetal de soja (sem lactose). Vire a massa na mesa e sove por 2 minutos. Molde o pão e coloque na assadeira. Cubra e deixe crescer por 45-60 minutos.
6 Preaqueça o forno a 200°C. Asse por 35-40 minutos até dourar e soar oco ao se bater na base. Tire do forno e deixe esfriar.

pão com bicarbonato

1 Preaqueça o forno a 200°C. Unte levemente uma assadeira com creme vegetal de soja (sem lactose). Peneire 80 g de fécula de batata, 60 g de farinha de grão-de-bico e 150 g de farinha de arroz em uma tigela grande e adicione ½ colher (chá) de sal e 1 colher (chá) de bicarbonato de sódio. Corte 25 g de creme vegetal de soja (sem lactose) gelado em cubinhos e, com as pontas dos dedos frias, esfregue as farinhas até a mistura esfarelar.
2 Faça uma cova no centro e coloque 1 ovo grande batido e 125 ml de leite de soja sem açúcar. Misture bem com a colher de pau até todos os ingredientes ficarem bem incorporados, depois faça uma bola de massa.
3 Coloque a massa em uma superfície polvilhada com farinha de arroz e amasse um pouco, tirando bem as pelotas. Faça uma bola achatada e coloque na assadeira. Com uma faca, faça uma cruz de cerca de 1 cm de profundidade por cima.
4 Asse no forno preaquecido por 30-35 minutos, até crescer e dourar ligeiramente. Bata na base para saber se está pronto: deve parecer oco. Tire do forno e deixe esfriar bem antes de servir.

pão de milho

1 Preaqueça o forno a 200°C. Unte uma fôrma de pão de 450 g com creme vegetal de soja (sem lactose).
2 Peneire 150 g de fubá e 150 g de farinha de arroz em uma tigela grande e adicione 1 colher (chá) de fermento em pó sem glúten e 1 colher (chá) de sal. Pique 50 g de creme vegetal de soja (sem lactose) gelado em cubinhos e, com as pontas dos dedos, esfregue as farinhas até esfarelarem.
3 Em uma tigela pequena, bata 2 ovos grandes e misture 300 ml de leite de soja sem açúcar. Abra um buraco no meio da mistura de farinhas e despeje o líquido, mexendo para incorporar toda a farinha, até formar uma massa uniforme.
4 Coloque a massa na fôrma e asse no forno preaquecido por 35-40 minutos até crescer e dourar bem. Para ver se está pronto, enfie um palito no centro do pão: se sair limpo, o pão está pronto. Tire do forno e deixe esfriar completamente antes de servir.

caldo de galinha

Rendimento: 1,5-1,75 litro

1 Coloque uma carcaça de frango grande em uma panela grande. Adicione 1 cebola picada, a parte branca de 1 alho-poró, 1 talo de aipo (salsão) e 1 cenoura grande, todos picados, 6 ramos de salsa, 1 folha de louro, 1 ramo de tomilho, 6 grãos de pimenta, ½ colher (chá) de sal e 2 litros de água.
2 Deixe ferver e diminua o fogo, tampe e deixe apurar por 3 horas. Esfrie e despeje em um recipiente não metálico.
3 Assim que o caldo esfriar, retire e descarte a camada de gordura que se formará na superfície. A não ser que vá usar o caldo imediatamente, tampe e guarde na geladeira por 2-3 dias ou congele para uso posterior.

caldo de peixe

Rendimento: cerca de 3 litros

1 Lave 2 kg de espinha de peixe (de preferência branco) e quebre-a. Coloque em uma panela grande com 1 cebola, a parte branca de 1 alho-poró e 1 cenoura grande picados, 6 ramos de salsa, 6 grãos de pimenta, ½ colher (chá) de sal e 3 litros de água.
2 Ferva, diminua o fogo, tampe e deixe cozinhar por 40 minutos. Deixe esfriar e despeje em um recipiente não metálico.
3 Quando esfriar completamente, tampe e guarde na geladeira por 1-2 dias, ou congele para uso posterior.

caldo de legumes

Rendimento: 1,25 litro

1 Pique 2 cebolas, a parte branca de 2 alhos-porós, 2 talos de aipo (salsão), 3 cenouras grandes. Coloque em uma panela com um punhado pequeno de salsa, 2 folhas de louro, 12 grãos de pimenta, ½ colher (chá) de sal e 1,5 litro de água.
2 Ferva, diminua o fogo, tampe e deixe cozinhar por 40 minutos. Deixe esfriar e despeje em uma vasilha não metálica.
3 Depois de frio, tampe e leve à geladeira por 3-4 dias, ou congele para uso posterior.

café da manhã

Ao folhear este livro, você encontrará uma variedade de saborosos desjejuns de dar água na boca: as opções vão das receitas rápidas para o dia a dia às refeições para serem apreciadas vagarosamente. Aqui há sucos, vitaminas, müslis, panquecas, muffins, omeletes e cafés da manhã completos. Saboreie uma vitamina de frutas vermelhas, que pode ser feita em minutos, ou um muffin de banana com mirtilos, que você pode levar ao sair, se desejar, ou relaxe e aproveite os ovos mexidos com bacon e pão assado na hora. Comece o dia com uma refeição rica em nutrientes e sentirá a diferença imediatamente – seu nível de energia aumentará, você se sentirá mais alerta e concentrado e não ficará tão tentado a comer lanches proibidos durante o dia.

vitamina de frutas vermelhas

PREPARO **5 MINUTOS, MAIS 30 MINUTOS PARA DESCONGELAR** RENDIMENTO **2 PORÇÕES**

500 g de frutas vermelhas frescas (framboesas, morangos, amoras, mirtilos etc.) ou congeladas
75 g de tofu em pedacinhos
½ litro de leite de soja
1-2 colheres (sopa) de mel claro

1 Se as frutas estiverem congeladas, tire-as do freezer e deixe em temperatura ambiente por 30 minutos para descongelarem ligeiramente antes de preparar a vitamina.
2 Coloque todas as frutas no liquidificador ou processador. Adicione o tofu, o leite e o mel a gosto, e bata até ficar uniforme e cremoso. Sirva imediatamente.

vitamina de manga, maracujá e banana

PREPARO **5 MINUTOS** RENDIMENTO **2 PORÇÕES**

1 manga grande madura
2 maracujás cortados ao meio
1 banana fatiada

1 Com uma faca afiada, descasque a manga e corte a polpa em cubos. Coloque-a no liquidificador ou processador.
2 Tire a polpa e as sementes dos maracujás e adicione à manga juntamente com a banana.
3 Bata até ficar uniforme e cremoso e sirva imediatamente.

suco de abacaxi e nectarina com gengibre

PREPARO **5 MINUTOS** RENDIMENTO **2 PORÇÕES**

1 abacaxi grande maduro

4 nectarinas ou pêssegos grandes cortados em quartos

3 cm de gengibre fresco descascado e picado

1 Corte as pontas do abacaxi e, fixando-o em pé, fatie e descarte a casca, incluindo os "olhos". Corte a polpa no sentido do comprimento da fruta, fazendo fatias compridas e finas, e descarte o miolo.

2 Bata os pedaços de abacaxi e de nectarina com o gengibre picado na centrífuga e sirva imediatamente.

suco de romã, uva e kiwi

PREPARO **10 MINUTOS** RENDIMENTO **2 PORÇÕES**

2 romãs cortadas ao meio

um cacho grande de uvas sem sementes (cerca de 700 g) destacadas

2 kiwis cortados ao meio

1 Segure as metades de romã sobre uma tigela grande e bata na casca com uma colher de pau para as sementes vermelhas soltarem. É preciso bater várias vezes antes de as sementes começarem a cair, mas elas vão sair.

2 Separe 2 colheres (sopa) das sementes e bata as outras na centrífuga com as uvas e os kiwis. Coloque em copos, adicione as sementes reservadas e sirva.

müsli com leite de amêndoas

PREPARO **10 MINUTOS, MAIS UMA NOITE DE MOLHO** RENDIMENTO **4 PORÇÕES**

150 g de aveia em flocos grandes

50 g de flocos de cevada

50 g de avelãs picadas

50 g de amêndoas picadas

50 g de manga seca picada grosseiramente

50 g de uvas-passas sem sementes

50 g de figos secos sem açúcar picados

3 colheres (sopa) de linhaça

Leite de amêndoas:

225 g de amêndoas descascadas

1-2 colheres (sopa) de mel claro

1 Prepare o leite de amêndoas: coloque as amêndoas descascadas em uma tigela, cubra com 3 copos de água e deixe de molho por uma noite ou no mínimo por 12 horas.

2 Depois, bata as amêndoas no liquidificador com ½ copo do líquido. Com o motor ligado, adicione o líquido restante aos poucos e mel a gosto, batendo até ficar um leite ralo (rende cerca de 1 litro). Guarde o leite de amêndoas em um recipiente hermético na geladeira por até 3 dias.

3 Misture todos os ingredientes secos em uma vasilha grande e passe para tigelas. Sirva com o leite de amêndoas por cima ou use leite de soja se preferir.

VARIAÇÃO

Para fazer uma versão sem glúten deste müsli, use 100 g de flocos de arroz e 100 g de flocos de trigo-sarraceno em vez da aveia e cevada. Ou experimente usar 200 g de flocos de quinua ou amaranto.

müsli bircher

PREPARO **5 MINUTOS, MAIS UMA NOITE DE MOLHO** RENDIMENTO **4 PORÇÕES**

200 g de aveia em flocos
350 ml de suco de maçã
2 maçãs
50 g de maçã desidratada (sem açúcar) picada
125 g de iogurte à base de soja
100 g de frutas vermelhas (framboesas, morangos, amoras, mirtilos etc.)

1 Coloque a aveia em uma vasilha grande e cubra-a com o suco de maçã. Tampe e deixe de molho por uma noite na geladeira.
2 Na manhã seguinte, descasque e rale as maçãs e adicione à mistura de aveia. Junte a maçã seca e o iogurte e misture.
3 Transfira para tigelinhas, espalhe as frutas vermelhas por cima e sirva.

VARIAÇÃO

Faça uma versão sem glúten do müsli bircher usando 200 g de flocos de trigo em vez da aveia. Experimente também usar 200 g de quinua ou amaranto em flocos; nesse caso, acrescente mais 150 ml de suco de maçã.

panqueca com coco queimado e melado

PREPARO **5 MINUTOS, MAIS 30 MINUTOS NA GELADEIRA**
COZIMENTO **15-20 MINUTOS** RENDIMENTO **4 PORÇÕES**

50 g farinha de arroz
50 g de farinha de grão-de-bico
uma pitada de sal
1 ovo batido
250 ml de leite de soja
75 g de coco em flocos sem açúcar
15 g de creme vegetal de soja (sem lactose)
3 colheres (sopa) de melado

1 Peneire as farinhas com o sal em uma tigela grande. Faça um buraco no meio e adicione o ovo, mexendo com a colher de pau com cuidado para agregar as farinhas. Junte o leite aos poucos, misturando com a farinha até formar uma massa lisa. Tampe e deixe na geladeira pelo menos por 10 minutos e no máximo por 30 minutos.

2 Enquanto isso, aqueça uma frigideira de fundo grosso de 20 cm em fogo médio. Coloque o coco em flocos e toste até dourar, mexendo sempre para não queimar. Ponha o coco em uma vasilha. Limpe a frigideira e volte ao fogo. Adicione o creme vegetal e aqueça até derreter, espalhando na panela.

3 Despeje ½ copo da massa preparada na frigideira e incline a panela cobrindo toda a base com a massa (é preciso ser mais grossa que uma panqueca normal por causa da ausência de glúten, que mantém a massa unida). Deixe 2-3 minutos até a base dourar. Com uma espátula de madeira, desgrude cuidadosamente a panqueca da base e vire do outro lado (ou jogue-a para cima se tiver confiança). Deixe mais 1-2 minutos.

4 Repita o processo com o resto da massa, separando as panquecas prontas com papel-manteiga para que não grudem e se mantenham quentes. Note que as últimas panquecas levarão apenas 1-2 minutos de cada lado, já que a panela estará quente.

5 Quando estiverem prontas, dobre-as em quatro, regue com um pouco de melado, salpique o coco tostado por cima e sirva.

muffins de banana com mirtilos

PREPARO **10 MINUTOS** COZIMENTO **20-25 MINUTOS** RENDIMENTO **10 PORÇÕES**

75 g de creme vegetal de soja (sem lactose) amolecido, mais um pouco para untar
50 g de adoçante de frutose
1 ovo grande levemente batido
100 ml de leite de soja
100 g de farinha de arroz
100 g de farinha de grão-de-bico
1 colher (sopa) de fermento em pó sem glúten
2 bananas pequenas amassadas
150 g de mirtilos

1 Preaqueça o forno a 200°C. Unte 10 forminhas de papel para empadas grandes e coloque-as em uma bandeja de muffins. Ponha o creme vegetal e a frutose em uma tigela grande e, com um batedor elétrico, bata até ficar leve e fofo. Junte o ovo aos poucos e misture o leite de soja.

2 Adicione as farinhas e o fermento e misture rapidamente com a colher de pau. Cuidado para não misturar demais e não se preocupe se ainda ficar meio empelotado.

3 Junte as bananas amassadas e os mirtilos com cuidado, coloque a massa nas fôrmas de papel com uma colher, enchendo até chegar a ⅔ da forminha.

4 Asse no forno preaquecido por 20-25 minutos até crescer bem e ficar firme ao toque, ou até um palito quando espetado sair limpo. Tire os muffins do forno e saboreie quentes ou retire da fôrma para esfriarem.

omelete de ervas com cogumelos

PREPARO **5 MINUTOS** COZIMENTO **10 MINUTOS** RENDIMENTO **2 PORÇÕES**

4 ovos

35 g de creme vegetal de soja (sem lactose)

2 colheres (sopa) de hortelã picada

2 colheres (sopa) de manjericão picado

2 colheres (sopa) de azeite

150 g de cogumelos em quartos

200 g de iogurte à base de soja

sal e pimenta-do-reino moída na hora

1 Bata os ovos em uma tigela, tempere com um pouco de sal e pimenta. Aqueça o creme vegetal em uma frigideira grossa de 20 cm, verificando se a base está bem coberta com a gordura quente. Coloque a mistura de ovo por cima e salpique metade da hortelã e do manjericão picados. Assim que o ovo começar a endurecer, levante as bordas com cuidado e incline a frigideira para deixar as partes cruas do ovo escorrerem para baixo. Depois de 5-6 minutos a base da omelete vai dourar e a parte de cima também, mas ainda estará mole.

2 Enquanto isso, aqueça o azeite em uma panela grande e grossa. Adicione os cogumelos e refogue em fogo médio por 3-4 minutos, mexendo sempre. Com o batedor manual ou o míxer, bata o iogurte. Diminua o fogo, coloque o iogurte na panela, adicione as ervas restantes e tempere ligeiramente com sal e pimenta. Cozinhe a mistura em fogo brando por 2-3 minutos, mas cuidado para não cozinhar demais ou o iogurte pode talhar.

3 Quando a omelete estiver firme, use uma espátula para dobrá-la ao meio com cuidado. Deixe por 30 segundos, depois corte em dois pedaços. Sirva imediatamente, com o creme de cogumelos.

ovos mexidos com bacon

PREPARO **5 MINUTOS** COZIMENTO **6 MINUTOS** RENDIMENTO **4 PORÇÕES**

8 tiras de bacon sem nitrato e sem o couro

8 ovos

6 colheres (sopa) de leite de soja

50 g de creme vegetal de soja (sem lactose)

sal e pimenta-do-reino moída na hora

1 Preaqueça uma frigideira grossa em temperatura alta. Coloque as tiras de bacon e frite por 2-3 minutos de cada lado ou até ficarem no ponto desejado.
2 Enquanto isso, bata os ovos em uma tigela pequena. Misture o leite de soja e tempere ligeiramente com sal e pimenta. Derreta o creme vegetal em uma panela grossa em fogo bem baixo. Ponha a mistura de ovo e cozinhe em fogo brando por 4-5 minutos, mexendo até a mistura engrossar mas ainda ficar um pouco mole.
3 Sirva imediatamente com o bacon e fatias de torrada à sua escolha (*v. as receitas de pão das pp. 23-24*).

feijão-de-corda com hash browns

PREPARO **20 MINUTOS, MAIS UMA NOITE DE MOLHO** COZIMENTO **1H30-2 HORAS** RENDIMENTO **2 PORÇÕES**

125 g de feijão-de-corda seco
4 tomates grandes
1 colher (sopa) de azeite
1 cebola picada
6 colheres (sopa) de purê de tomate
1 colher (sopa) de folhas de tomilho
sal

Hash browns:
4 batatas descascadas e raladas
1 cebola pequena ralada
1 ovo batido
1 colher (sopa) de farinha de arroz
1 colher (chá) de sal
1 colher (sopa) de azeite

1 Coloque o feijão em uma tigela, cubra com água fria e deixe de molho durante a noite ou pelo menos por 12 horas.

2 No dia seguinte, escorra o feijão e enxágue. Coloque em uma panela grande, cubra com água fresca e ferva. Deixe mais uns 10 minutos, abaixe o fogo, tampe e deixe cozinhar por 1-1h30 até ficar tenro. Escorra bem.

3 Com uma faca, faça uma cruz na casca dos tomates, coloque em uma tigela refratária e cubra com água fervente. Deixe 2 minutos, retire-os, descasque e pique grosseiramente.

4 Aqueça o azeite em uma panela grossa em fogo médio. Junte a cebola e refogue por 2-3 minutos até dourar. Acrescente os outros ingredientes, inclusive o feijão, e ½ copo de água, deixe ferver, misture bem, depois diminua o fogo, tampe e deixe cozinhar por 30 minutos. Tempere a gosto.

5 Enquanto isso, prepare os hash browns. Misture as batatas com a cebola e embrulhe em um pano de prato limpo; aperte bem para que o pano absorva o excesso de água dos legumes. Coloque numa tigela e adicione o ovo, a farinha e o sal. Misture bem.

6 Divida em seis partes e molde seis bolinhos. Aqueça o azeite em uma frigideira grossa em fogo médio. Coloque três bolinhos na panela, achatando-os ligeiramente com o dorso da colher de pau e frite por 5-6 minutos de cada lado, até dourarem e ficarem crocantes. Tire da panela com uma escumadeira e mantenha aquecido. Repita o processo com os outros bolinhos. Sirva com o feijão cozido.

almoço

Não importa onde ou o que esteja fazendo, você encontrará exatamente o que precisa nas próximas páginas. Se quiser embrulhar o almoço ou levar um lanche para um piquenique, há receitas de patês, bolinhos de batata e tabule. Se estiver com vontade de tomar uma sopa – quentinha e substanciosa como a sopa de ervilha com presunto, ou leve e geladinha como a de abacate para um dia de verão –, há boas opções aqui. Encontre saladas variadas: a de frango com macarrão de arroz à moda tailandesa ou a salada de beterraba e abóbora assadas, além das delícias prediletas de sempre como a pizza de presunto cru e rúcula, bem como pratos mais exóticos como tempurá de camarão com legumes. Muitas receitas podem ser preparadas com antecedência e guardadas, ou feitas rapidamente pela manhã.

patê de salmão defumado

PREPARO **3-5 MINUTOS** RENDIMENTO **2 PORÇÕES**

250 g de salmão defumado
125 g de tofu
1 colher (sopa) de leite de soja sem açúcar
suco de ½ limão
um punhado de dill bem picado e mais um pouco para servir
pimenta-do-reino moída na hora

1 Coloque todos os ingredientes em uma tigela e misture ligeiramente com o batedor elétrico, fazendo um creme grosso. Ou bata todos os ingredientes no liquidificador ou processador.
2 Sirva o patê generosamente sobre fatias de pão (*pp. 23-24*) salpicadas com dill, ou guarde em um recipiente para o lanche.

VARIAÇÃO

Faça um patê à moda asiática: substitua o leite, o limão, o dill e a pimenta por ½-1 pimenta-malagueta grande sem semente bem picada, 1 cm de gengibre fresco descascado e bem picado, 1 dente grande de alho amassado e o suco de 1 limão.

bolinhos de batata com salmão defumado

PREPARO **10 MINUTOS** COZIMENTO **30-40 MINUTOS** RENDIMENTO **2 PORÇÕES**

250 g de batatas descascadas em pedaços
50 g de creme vegetal de soja (sem lactose)
3 colheres (sopa) de farinha de arroz e mais um pouco para polvilhar
30 g de farinha de grão-de-bico
½ colher (chá) de sal
1 colher (chá) de fermento em pó sem glúten
1 ovo grande batido
2 colheres (sopa) de azeite
250 g de salmão defumado

1. Coloque a batata em uma panela e cubra com água fria. Leve a fogo alto e deixe ferver. Diminua o fogo, tampe e deixe cozinhar por 15-20 minutos, até ficar tenra. Escorra e amasse bem com o creme vegetal até ficar um purê uniforme.
2. Peneire as farinhas em uma tigela grande. Adicione o sal e o fermento, e faça um buraco no meio da mistura. Coloque o ovo batido no buraco, depois junte o purê de batata e, com a colher de pau, misture bem, mexendo até incorporar todos os ingredientes.
3. Despeje a mistura em uma superfície polvilhada com farinha de arroz. Divida em seis partes. Com as mãos frias, forme bolas, achate um pouco e polvilhe levemente com mais farinha de arroz. A mistura vai ficar grudenta, então tente trabalhar rápido antes de as mãos esquentarem e polvilhe mais farinha de arroz na superfície de trabalho quando necessário.
4. Aqueça metade do azeite em uma frigideira grossa e grande. Adicione três bolas de batata e cozinhe por 4-5 minutos de cada lado até dourarem. Tire da panela, seque sobre papel-toalha e repita o processo com a segunda leva.
5. Coloque uma fatia de salmão defumado por cima de cada bolinho de batata e sirva. Outra possibilidade é deixar esfriar e guardar em uma vasilha.

patê de alcachofra

PREPARO **15 MINUTOS** COZIMENTO **1H40** RENDIMENTO **4 PORÇÕES**

8 alcachofras sem o talo ou 400 g de corações de alcachofra em água ou óleo escorridos – reserve 1 colher (sopa) de óleo
1 colher (sopa) de azeite (opcional)
2 dentes de alho picados
25 g de rúcula picada (opcional)
sal

1 Se optar por alcachofras frescas, coloque-as para ferver em água. Depois que voltarem a ferver, abaixe o fogo, tampe e deixe cozinhar em fogo baixo por 30-40 minutos, até conseguir arrancar as folhas com facilidade. Escorra, deixe esfriar e retire as folhas e pelos do legume, deixando as bases, conhecidas como “corações”.
2 Se for usar as alcachofras em conserva no óleo, reserve 1 colher (sopa) do óleo; se forem conservadas em água, use 1 colher (sopa) de azeite. Aqueça o azeite (ou o óleo) em uma panela pequena. Adicione o alho e refogue por 30 segundos até começar a dourar. Coloque em uma tigela, junte os corações de alcachofra e a rúcula e bata no processador até obter uma pasta cremosa. Tempere ligeiramente com sal.
3 Espalhe em fatias de pão (*pp. 23-24*) ou guarde em um recipiente.

tabule de quinua

PREPARO **10 MINUTOS** COZIMENTO **15-20 MINUTOS** RENDIMENTO **4 PORÇÕES**

150 g de quinua
4 tomates maduros
2 maços de salsa bem picados
2 maços de hortelã bem picados
6 talos de cebolinha em fatias finas

Molho:
6 colheres (sopa) de azeite extravirgem
suco de 2 limões
sal e pimenta-do-reino moída na hora

1 Coloque a quinua em uma peneira e enxágue bem sob água corrente. Transfira para uma panela com 1 copo de água fria. Ferva, abaixe o fogo, tampe e deixe cozinhar em fogo brando por 15-20 minutos, até a quinua ficar tenra e a água ser absorvida. Transfira para uma tigela e deixe esfriar. (Se sobrar água na panela, escorra a quinua em uma peneira primeiro.)
2 Enquanto isso, faça uma cruz com a faca na casca dos tomates, coloque em uma vasilha refratária grande e cubra com água fervente. Deixe 2-3 minutos. Tire a pele dos tomates, corte-os ao meio, retire as sementes e pique-os em cubos. Adicione à tigela com quinua. Junte a salsa, a hortelã e a cebolinha.
3 Misture os ingredientes do molho em uma vasilha e tempere ligeiramente, depois regue sobre o tabule, mexendo bem. Sirva ou guarde em um recipiente.

sopa de ervilha com presunto

PREPARO **10 MINUTOS** COZIMENTO **20 MINUTOS**
TEMPO ADICIONAL **PREPARO DO CALDO** RENDIMENTO **4 PORÇÕES**

2 colheres (sopa) de azeite
1 cebola bem picada
2 dentes grandes de alho amassados
1 cenoura picada
½ alho-poró grande ou 1 pequeno picado
750 g de ervilhas frescas ou congeladas
1 folha de louro
1,2 litro de caldo de frango ou de legumes (*pp. 24-25*) ou caldo de legumes em pó sem glúten, fermento ou laticínios
250 g de presunto cru sem nitrato picado
sal e pimenta-do-reino moída na hora

1 Aqueça o azeite em uma panela grande de fundo grosso em fogo baixo. Adicione a cebola e refogue por 2-3 minutos, até começar a dourar. Adicione o alho, a cenoura, o alho-poró e cozinhe por 1 minuto.

2 Junte as ervilhas e o louro e cozinhe por 5 minutos; acrescente o caldo. Aumente um pouco o fogo e deixe ferver; abaixe o fogo, tampe e deixe cozinhar em fogo brando por 5 minutos. Adicione metade do presunto, usando todos os pedaços com gordura, e cozinhe por 5 minutos.

3 Tire o louro e bata no liquidificador. Aqueça e adicione o presunto restante. Tempere com um pouco de sal e pimenta e sirva com fatias de pão (*pp. 23-24*).

sopa tom yum

PREPARO **10 MINUTOS** COZIMENTO **25 MINUTOS**
TEMPO ADICIONAL **PREPARO DO CALDO** RENDIMENTO **4 PORÇÕES**

1 cm de gengibre descascado e picado

1 colher (sopa) de coentro picado (reserve algumas folhas para enfeitar)

½ cebola roxa picada

2 pimentas-malaguetas grandes picadas

1 colher (sopa) de azeite

6 talos de capim-limão (apenas o miolo branco fatiado)

2 colheres (sopa) de molho de peixe tailandês

2 litros de caldo de legumes (*p. 25*) ou caldo em pó sem glúten, fermento ou laticínios

100 g de champignons

250 g de camarões cozidos descascados

suco de 1 limão

1 Coloque o gengibre, o coentro, a cebola roxa, a pimenta e o azeite no processador e bata até formar uma pasta espessa. Ponha em uma panela grande de fundo grosso e adicione o capim-limão, o molho de peixe e o caldo. Deixe ferver em fogo médio, diminua o fogo, tampe e apure por 15 minutos.

2 Passe em uma peneira fina e coloque em uma panela limpa. Adicione os cogumelos, deixe ferver, abaixe o fogo, tampe e cozinhe por 5 minutos. Acrescente os camarões e deixe mais 1-2 minutos, depois misture o suco de limão. Corrija o tempero, adicionando mais molho de peixe, se preciso. Salpique as folhas de coentro e sirva com fatias de pão (*pp. 23-24*).

bisque de siri

PREPARO **10 MINUTOS** COZIMENTO **35 MINUTOS**
TEMPO ADICIONAL **PREPARO DO CALDO** RENDIMENTO **4 PORÇÕES**

50 g de creme vegetal de soja (sem lactose)
½ cebola picada
1 talo de aipo (salsão) picado
1 cenoura picada
1 folha de louro
1 ¼ litro de caldo de peixe (*p. 25*) ou caldo de legumes em pó sem glúten, fermento ou laticínios
½ copo de vinho branco seco orgânico
2 tomates maduros picados
1 colher (sopa) de purê de tomate
¼ de colher (chá) de pimenta-de-caiena
450 g de carne de siri cozida
150 g de iogurte à base de soja
sal e pimenta-do-reino moída na hora

1 Derreta o creme vegetal em uma panela grande de fundo grosso. Adicione a cebola, o aipo, a cenoura e o louro, e cozinhe em fogo baixo por 2-3 minutos. Junte o caldo, o vinho, os tomates e o purê, aumente o fogo e deixe ferver. Abaixe o fogo, tampe e cozinhe por 20 minutos. Retire a folha de louro.
2 Bata no liquidificador. Aqueça, adicionando a pimenta-de-caiena e a carne de siri. Deixe ferver, abaixe o fogo, tampe e apure por 10 minutos. Tempere com um pouco de sal e pimenta.
3 Bata o iogurte com o batedor ou míxer até ficar cremoso, adicione à sopa e misture bem. Sirva com fatias de pão (*pp. 23-24*).

sopa de abobrinha com sementes

PREPARO **10 MINUTOS** COZIMENTO **25-35 MINUTOS**
TEMPO ADICIONAL **PREPARO DO CALDO** RENDIMENTO **4 PORÇÕES**

1 ½ colher (sopa) de azeite
1 cebola picada
2 dentes de alho amassados
4 abobrinhas grandes em fatias finas (cerca de 750 g)
250 g de batatas descascadas em fatias finas
½ litro de caldo de legumes (*p. 25*) ou caldo pronto sem glúten, fermento ou laticínios
½-1 colher (chá) de pimenta-calabresa em flocos
sal e pimenta-do-reino moída na hora

Sementes temperadas:
100 g de sementes de girassol
100 g de gergelim
50 g de sementes de abóbora
4 colheres (sopa) de molho de soja tamari

1. Preaqueça o forno a 150°C. Aqueça o azeite em fogo baixo em uma panela grande de fundo grosso. Junte a cebola e refogue por 2-3 minutos até dourar. Frite o alho, junte a abobrinha e a batata e cozinhe por 3-4 minutos, mexendo de vez em quando. Ponha o caldo e deixe ferver, depois diminua o fogo e tampe. Apure por 20-25 minutos até as batatas ficarem tenras.
2. Enquanto isso, prepare as sementes temperadas. Coloque-as em uma fôrma e regue com o molho de soja tamari. Deixe por 15 minutos no forno aquecido, retire, mexa e leve de volta ao forno por mais 10-15 minutos, até as sementes ficarem bem douradas.
3. Misture as sementes temperadas na sopa e acrescente a pimenta-calabresa a gosto. Bata com o míxer ou no liquidificador. Aqueça e tempere com um pouco de sal e pimenta-do-reino. Sirva com fatias de pão (*pp. 23-24*).

VARIAÇÃO

Se preferir uma versão mais suave, não coloque as batatas e use apenas 1 copo de caldo e ¼-½ colher (chá) de pimenta-calabresa em flocos.

sopa gelada de abacate

PREPARO **10 MINUTOS, MAIS 2 HORAS PARA GELAR**
TEMPO ADICIONAL **PREPARO DO CALDO** RENDIMENTO **4 PORÇÕES**

5 abacates maduros picados
½ cebola roxa picada
1 dente de alho grande picado
suco de 1 limão
1 colher (sopa) de azeite
150 g de iogurte à base de soja
400 ml de caldo frio de galinha ou de legumes (*pp. 24-25*) ou caldo em pó sem glúten, fermento ou laticínios
2 colheres (sopa) de hortelã picada
sal e pimenta-do-reino moída na hora

1 Coloque o abacate, a cebola, o alho, o suco de limão, o azeite e o iogurte no processador e bata até formar uma pasta uniforme. Com o motor ligado, junte o caldo aos poucos. Adicione metade da hortelã picada e bata ligeiramente. Tempere com sal e pimenta.
2 Coloque a sopa em uma tigela grande, cubra com filme de PVC e deixe na geladeira por 2 horas.
3 Misture a hortelã restante e sirva com fatias de pão (*pp. 23-24*).

sopa de tomate com sálvia

PREPARO **10 MINUTOS** COZIMENTO **1H30**
TEMPO ADICIONAL **PREPARO DO CALDO** RENDIMENTO **4 PORÇÕES**

16 tomates grandes e firmes cortados ao meio (1,8 kg)
4 dentes grandes de alho descascados
3 colheres (sopa) de azeite
1 cebola roxa picada
1 ½ colher (sopa) de folhas de sálvia picadas
½ copo de caldo de legumes (*p. 25*) ou caldo em pó sem glúten, fermento ou laticínios
sal e pimenta-do-reino moída na hora

1 Preaqueça o forno a 180°C. Disponha os tomates em uma fôrma, com o lado cortado para cima, junto com os dentes de alho. Asse no forno preaquecido por 1h15, até ficarem chamuscados e tenros. Retire do forno e deixe esfriar um pouco.

2 Aqueça o azeite em uma panela grande de fundo grosso em fogo baixo. Junte a cebola e refogue por 2-3 minutos, até começar a dourar.

3 Com uma colher, separe a polpa do tomate da pele e coloque na panela. Junte o alho espremido. Descarte a pele do tomate e a casca do alho. Acrescente a sálvia picada à mistura e deixe ferver. Depois, abaixe o fogo, tampe e deixe apurar por 10 minutos, mexendo de vez em quando.

4 Sem tirar da panela, bata a sopa com o míxer, ou no liquidificador ou processador até ficar uniforme. Acrescente o caldo de legumes aos poucos, até ela ficar cremosa mas fluida. Aqueça e tempere com um pouco de sal e pimenta-do-reino. Sirva quente ou gelada, com fatias de pão (*pp. 23-24*).

salada à tailandesa

PREPARO **10 MINUTOS** COZIMENTO **30-35 MINUTOS** RENDIMENTO **4 PORÇÕES**

2 peitos de frango desossados e sem pele
2 colheres (sopa) de azeite
150 g de macarrão de arroz
4 talos de cebolinha bem fatiados
1 dente de alho picado
2 cm de gengibre fresco picado
½ pimenta-malagueta grande picada
um punhado de hortelã picada
dois punhados de coentro picado
um punhado de manjericão picado
½ pepino em palitos
2 cenouras descascadas em palitos
1 abobrinha em palitos
suco de 1 limão
1 colher (chá) de molho de peixe tailandês
2 punhados de amendoim (sem sal) picado para salpicar

1 Preaqueça o forno a 180°C. Coloque os peitos de frango em um refratário, regue com 1 colher (sopa) de azeite e cubra. Leve ao forno quente por 20-25 minutos, até a carne ficar totalmente cozida. Para saber se o frango está no ponto, espete com um garfo e veja se o suco que escorre está claro e não rosado. Retire o frango do forno e deixe esfriar.
2 Coloque o macarrão de arroz em uma tigela refratária grande, cubra com água fervente e deixe por 5 minutos até ficar tenro. Escorra e enxágue bem em água fria corrente.
3 Aqueça uma wok grande ou uma frigideira em fogo alto, coloque o azeite restante e espalhe sobre a superfície da wok. Junte a cebolinha e frite por 1 minuto até começar a dourar. Acrescente o alho, o gengibre e a pimenta-malagueta, refogue por 1 minuto e passe para uma saladeira grande. Junte as ervas picadas e os palitos de legumes.
4 Desfie o frango frio e coloque na saladeira junto com o suco de limão e o molho de peixe. Acrescente o macarrão e misture bem todos os ingredientes. Salpique o amendoim e sirva.

carpaccio

PREPARO **5 MINUTOS** RENDIMENTO **4 PORÇÕES**

450 g de filé-mignon em fatias fininhas (cerca de 12 fatias)
50 g de folhas tenras de espinafre
50 g de rúcula
um punhado grande de salsa picada grosseiramente
12 tomates-cereja cortados ao meio no sentido do comprimento

Molho:
1 dente de alho amassado
suco de ½ limão
4 colheres (sopa) de azeite extravirgem
sal e pimenta-do-reino moída na hora

1 Disponha as fatias de carne sobre um pedaço grande de filme de PVC, cuidando para que fiquem separadas umas das outras, e cubra com outro pedaço de filme. Pressione a carne com um rolo até ficar da espessura de papel.
2 Em uma tigela, misture os ingredientes do molho e bata rapidamente com um pouco de tempero.
3 Sirva as fatias de carne com o espinafre, a rúcula, a salsa e os tomates, regando com o molho.

salada de atum com feijão

PREPARO **10 MINUTOS, MAIS TEMPO DA DEMOLHA**
COZIMENTO **2H30** RENDIMENTO **4 PORÇÕES**

100 g de feijão-branco

400 g de tomates maduros em quartos

2 colheres (sopa) de azeite

100 g de vagem cortada ao meio

4 filés de atum

um punhado de folhas tenras de espinafre

um punhado de rúcula

Molho:

3 colheres (sopa) de azeite extravirgem

1 ½ colher (sopa) de vinagre balsâmico

sal e pimenta-do-reino moída na hora

1 Deixe o feijão de molho durante a noite.

2 No dia seguinte, preaqueça o forno a 140°C. Em uma fôrma, disponha uma camada de tomates e regue com 1 ½ colher (sopa) de azeite. Leve ao forno por 2h30, até secar.

3 Enquanto isso, escorra o feijão e lave bem. Coloque em uma panela grande, cubra com água e deixe ferver por 10 minutos. Abaixe o fogo, tampe e cozinhe lentamente por 1h30, até o feijão ficar tenro. Escorra bem.

4 Cozinhe a vagem no vapor por 1-2 minutos até ficar macia.

5 Preaqueça o forno em fogo alto. Pincele o atum com o azeite restante e grelhe por 2-3 minutos de cada lado. Outra alternativa é fritar em fogo médio por 2-3 minutos de cada lado.

6 Enquanto o atum estiver grelhando, coloque o espinafre e a rúcula em uma tigela grande e misture com o feijão e a vagem. Retire os tomates do forno juntamente com o azeite e acrescente à tigela. Bata rapidamente os ingredientes do molho em outra tigela com um pouco de tempero e regue a salada, misturando tudo. Sirva o atum com a salada.

salada de lula

PREPARO **10 MINUTOS** COZIMENTO **2-3 MINUTOS** RENDIMENTO **4 PORÇÕES**

1 kg de lulas pequenas

2 colheres (sopa) de azeite

1 pimenta-malagueta picada

um maço de cebolinha picada

1 colher (sopa) de molho de peixe tailandês

3 colheres (sopa) de coentro picado

3 colheres (sopa) de hortelã picada

Salada:

4 pés de alface-americana (rasgue as folhas ao meio)

65 g de rúcula

1 pepino em tirinhas

1 pimentão vermelho em tirinhas

Molho:

6 colheres (sopa) de azeite extravirgem

2 colheres (sopa) de limão

1 colher (sopa) de hortelã picada

1 colher (sopa) de coentro picado

1 Prepare as lulas: puxe os tentáculos para fora e corte, separando-os da ponta da cabeça que os mantêm juntos. Procure dentro do corpo a barbatana transparente e retire. Remova tudo que estiver dentro e também a película externa. Finalmente, lave os corpos e os tentáculos sob água corrente e seque em papel-toalha. Com uma faca afiada, abra totalmente a lateral do corpo. Faça marcas com a faca no formato de losangos, e depois corte tiras largas de 5 cm de comprimento. Deixe os tentáculos inteiros.

2 Coloque os ingredientes da salada em uma saladeira grande e misture bem.

3 Bata rapidamente os ingredientes do molho em uma tigela.

4 Aqueça o azeite em uma wok ou frigideira grande em fogo alto. Junte a lula, a pimenta, a cebolinha e o molho de peixe, e cozinhe, mexendo sempre, por 2-3 minutos, até a lula ficar levemente dourada. Retire a wok do fogo e misture as ervas picadas.

5 Junte à salada e regue o molho por cima. Sirva quente ou fria.

salada de favas com ervilhas e tofu

PREPARO **20 MINUTOS** COZIMENTO **3-4 MINUTOS** RENDIMENTO **4 PORÇÕES**

1 kg de favas na vagem (ou 450 g de favas debulhadas)
1 kg de ervilhas na vagem (ou 450 g de ervilhas debulhadas)
5 ramos de hortelã
150 g de tofu defumado

Molho:
3 colheres (sopa) de azeite extravirgem
suco de 1 limão
1 colher (sopa) de hortelã
sal e pimenta-do-reino moída na hora

1 Coloque as favas e as ervilhas na panela a vapor. Junte a hortelã, ponha em fogo alto e cozinhe por 3-4 minutos, até ficarem tenras. Retire a hortelã e descarte.

2 Lave os legumes em água corrente, escorra bem e coloque em uma saladeira grande. Despedace o tofu sobre os legumes.

3 Em uma tigela, bata rapidamente os ingredientes do molho e tempere com um pouco de sal e pimenta-do-reino. Regue a salada e sirva.

salada de abóbora com beterraba

PREPARO **15 MINUTOS** COZIMENTO **40-45 MINUTOS** RENDIMENTO **4 PORÇÕES**

800 g de abóbora descascada em pedaços

3 colheres (sopa) de azeite

600 g de beterrabas descascadas em quartos

150 g de pinholes

1 abacate grande

½ colher (sopa) de suco de limão (opcional)

150 g de folhas mistas: alface, espinafre e acelga

50 g de rúcula

Molho:

6 colheres (sopa) de azeite extravirgem

2 colheres (sopa) de vinagre balsâmico

1 Preaqueça o forno a 180°C. Coloque os pedaços de abóbora em uma fôrma e regue com metade do azeite. Faça o mesmo com a beterraba em outra fôrma. Asse os legumes no forno por 40-45 minutos, até ficarem bem cozidos.

2 Enquanto isso, aqueça uma frigideira grossa em fogo médio. Frite os pinholes a seco até começarem a dourar. Retire do fogo.

3 Descasque e fatie o abacate. (Se quiser preparar a salada antes, ponha as fatias em suco de limão, para não escurecerem.) Coloque as folhas mistas e a rúcula em uma saladeira grande e misture. Retire os legumes do forno, junte à salada e finalize com o abacate e os pinholes.

4 Bata rapidamente os ingredientes do molho em uma tigela, regue a salada e sirva.

bolinhos de milho com salada

PREPARO **10 MINUTOS** COZIMENTO **25-30 MINUTOS** RENDIMENTO **10 PORÇÕES**

1 clara de ovo
200 g de milho cozido
½ pimenta-malagueta picada
150 ml de leite de soja
1 ovo batido
½ colher (chá) de sal
55 g de farinha de grão-de-bico
1 colher (chá) de fermento em pó sem glúten
azeite para fritar
folhas mistas para salada

Molho de abacate:
1 cebola bem picada
3 tomates grandes em cubos
2 abacates em cubos
suco de 1 limão
um punhado de coentro picado

1. Bata a clara em neve. Coloque o milho em uma tigela grande e adicione cuidadosamente a clara; misture a pimenta, o leite de soja, o ovo batido e o sal. Peneire a farinha e o fermento em pó por cima, e misture até obter uma massa firme.
2. Aqueça uma frigideira grande de fundo grosso com azeite em fogo baixo. Coloque 2 colheres (sopa) de massa na frigideira quente para fazer os bolinhos (ponha três ou quatro de cada vez). Frite cuidadosamente por 4-5 minutos de cada lado, até dourar. Retire da frigideira, coloque sobre papel-toalha, mantenha em local aquecido e frite os bolinhos restantes.
3. Enquanto isso, misture todos os ingredientes do molho em uma tigela.
4. Sirva os bolinhos com a salada de folhas e o molho.

sushi de salmão e camarão

PREPARO **20-25 MINUTOS, MAIS O TEMPO PARA ESCORRER E GELAR**
COZIMENTO **15-20 MINUTOS** RENDIMENTO **4 PORÇÕES**

2 copos bem cheios de arroz para sushi
4 colheres (sopa) de vinagre de arroz
25 g de adoçante de frutose
1 colher (chá) de sal
8 folhas de alga nori de 20 x 18 cm
¼ de colher (chá) de wasabi (ou a gosto)
24-32 camarões grandes limpos e cozidos (sem casca)
250 g de salmão defumado em tiras
2 abacates cortados em fatias finas no sentido do comprimento
½ pepino sem sementes em tiras de 1 cm de largura no sentido do comprimento
molho de soja tamari para acompanhar

1 Coloque o arroz em uma tigela grande e cubra com água fria. Mexa e escorra em uma peneira. Repita até a água ficar límpida; deixe escorrendo por 30 minutos.
2 Ponha o arroz em uma panela grande e adicione 400 ml de água. Deixe ferver em fogo médio, diminua o fogo, cubra com uma tampa transparente, se possível, e deixe cozinhar por 8-10 minutos, até a água evaporar. Ainda tampado, retire do fogo e deixe descansar por 10-15 minutos.
3 Enquanto isso, aqueça o vinagre de arroz, a frutose e o sal em fogo baixo em uma panela pequena, até a frutose dissolver. Retire do fogo e deixe esfriar um pouco.
4 Com uma colher, passe o arroz para uma travessa rasa grande. Derrame a mistura de vinagre por cima e, com uma espátula de madeira, envolva delicadamente o arroz no líquido. Deixe esfriar completamente.
5 Abra a folha de nori sobre um tecido limpo, ou uma esteirinha de bambu, com o lado brilhante para baixo. Espalhe 4 colheres (sopa) cheias de arroz frio sobre ⅓ da alga até a extremidade. Passe uma linha fina de wasabi sobre o arroz. Coloque 3-4 camarões, 4-5 tiras de salmão (cerca de 30 g), 3 fatias de abacate e 4-6 tiras de pepino sobre o arroz, na horizontal, levemente descentralizados, perto do meio da folha. Segure juntos a ponta do tecido e o lado da alga mais próximo de você. Enrole cuidadosamente a alga sobre o recheio, segurando pelo tecido para protegê-la. Comprima levemente o rolo para que fique bem firme. Repita o processo com as folhas de nori e o recheio restantes.
6 Corte cada rolo em cinco pedaços e sirva acompanhado de molho de soja tamari.

pizza de rúcula com presunto cru

PREPARO **1H25** COZIMENTO **12-15 MINUTOS** RENDIMENTO **2 PORÇÕES**

85 g de farinha de arroz e mais um pouco para polvilhar
85 g de farinha de grão-de-bico
30 g de fubá
½ colher (chá) de sal
1 colher (chá) de fermento biológico seco instantâneo
2 colheres (sopa) de azeite
creme vegetal de soja (sem lactose) para untar

Cobertura:
4 colheres (sopa) de passata
1 ½ colher (sopa) de purê de tomate
150 g de presunto cru sem nitrato em fatias finas
80-100 g de raspas de queijo sem lactose
um punhado de rúcula

1 Peneire as farinhas e o sal em uma tigela grande. Junte o fermento e misture bem. Abra uma cova no meio e derrame o azeite. Trabalhe a farinha com o azeite aos poucos, usando uma colher de pau ou as pontas dos dedos, até ficar bem misturado. Despeje ½ copo de água quente, pouco a pouco, e continue a misturar até obter uma massa macia.

2 Passe a massa para uma superfície polvilhada com farinha de arroz e amasse cuidadosamente por 10 minutos. Coloque em uma vasilha limpa, cubra com um tecido úmido e deixe em temperatura ambiente por 1 hora, até dobrar de tamanho.

3 Preaqueça o forno a 220°C. Unte uma fôrma com o creme vegetal. Leve a massa de volta para a superfície enfarinhada, sove durante 4 minutos e faça uma bola. Achate um pouco e, com o rolo, abra um círculo com cerca de 1 cm de espessura. Apare com uma faca. Ponha na fôrma untada.

4 Prepare a cobertura misturando a passata e o purê de tomate em uma tigela. Espalhe a mistura sobre a massa da pizza e cubra com o presunto. Asse no forno preaquecido por 12-15 minutos, até a massa começar a dourar e o molho de tomate borbulhar. Retire a pizza do forno, espalhe as raspas de queijo e a rúcula por cima, e sirva.

tempurá de camarão com legumes

PREPARO **10 MINUTOS** COZIMENTO **30-35 MINUTOS** RENDIMENTO **4 PORÇÕES**

1 abobrinha em pedaços de 5 cm
600 g de abóbora descascada em pedacinhos
2 pimentões vermelhos ou amarelos em tiras largas
400 g de aspargos em pedaços de 5 cm
450 g de camarões grandes limpos, cozidos e descascados
2 gemas batidas
150 g de farinha de grão-de-bico
150 g de farinha de arroz
1 litro de óleo de canola ou azeite
molho de soja tamari para acompanhar

1 Seque muito bem os legumes e escorra os camarões.

2 Em uma tigela média, misture uma das gemas com ¾ de copo de água gelada. Peneire metade de cada farinha sobre a mistura e bata rapidamente com um garfo, até agregar a massa e ela ficar encorpada e fluida. Se necessário, adicione mais 1-2 colheres (sopa) de água. Não bata demais, pois a mistura deve ficar um pouco granulosa. Repita em outra tigela com a segunda gema e as farinhas restantes, e ponha esta porção de massa na geladeira.

3 Ponha o azeite em uma wok ou frigideira grande e leve ao fogo médio. Coloque um pouco de massa na panela para verificar a temperatura. Se a massa subir rapidamente e chiar, o óleo está no ponto.

4 Mergulhe um pedaço de legume ou um camarão na massa, sacuda levemente para retirar o excesso de massa e coloque rapidamente no azeite quente. Frite porções de até 10 ingredientes durante 1-3 minutos, até ficarem ligeiramente dourados e cozidos, dependendo do ingrediente (a abóbora, por exemplo, precisará ficar mais tempo).

5 Retire com uma escumadeira e escorra em papel-toalha. Repita com os legumes e camarões restantes, usando a segunda porção de massa quando a primeira terminar. Sirva imediatamente, acompanhado de molho de soja tamari.

bolinhos de peixe à tailandesa

PREPARO **10 MINUTOS** COZIMENTO **20-25 MINUTOS**
TEMPO ADICIONAL **PREPARO DO CURRY** RENDIMENTO **4 PORÇÕES**

500 g de filé de pescada
1 colher (sopa) de molho de peixe tailandês
1 colher (sopa) de pasta de curry verde tailandês (*p. 20*)
um punhado grande de folhas e talos de coentro picado
1 ovo grande
50 g de vagem fina picada
4 talos de cebolinha picados
6-8 colheres (sopa) de óleo de canola ou de azeite

Molho:
1 colher (sopa) de molho de peixe tailandês
1 colher (sopa) de molho de soja tamari
suco de 1 limão
1 colher (sopa) de coentro picado

1. Coloque a pescada, o molho de peixe, a pasta de curry, o coentro e o ovo no liquidificador ou processador e bata bem. Passe para uma tigela e junte a vagem e a cebolinha.
2. Pegue uma colher (sopa) da mistura, faça uma bola com as mãos, coloque sobre uma superfície limpa e achate de leve com a mão. Repita o processo com o restante da mistura, fazendo 12 bolinhos.
3. Aqueça 2 colheres (sopa) de azeite em uma frigideira grossa. Em fogo baixo, coloque três ou quatro bolinhos de peixe no azeite e frite por 3-4 minutos de cada lado, até dourar e ficar crocante. Com a escumadeira, retire os bolinhos, escorra em papel-toalha e mantenha aquecidos. Coloque mais azeite na frigideira e frite os outros bolinhos.
4. Enquanto isso, misture todos os ingredientes do molho em uma tigela pequena.
5. Sirva os bolinhos de peixe com o molho e uma salada mista de folhas.

espaguete ao vôngole

PREPARO **5 MINUTOS** COZIMENTO **8-10 MINUTOS** RENDIMENTO **4 PORÇÕES**

2 kg de vôngole na concha
3 colheres (sopa) de azeite
400 g de espaguete sem glúten ou outro macarrão
4 dentes de alho amassados
350 ml de vinho branco seco orgânico
2 punhados grandes de salsa picada grosseiramente
sal e pimenta-do-reino moída na hora

1. Lave bem os vôngoles em água corrente, descartando os que estiverem abertos e com a concha quebrada.
2. Ferva água em uma panela grande. Acrescente 1 colher (sopa) de azeite e o espaguete. Cozinhe por 8-10 minutos em fogo médio, ou de acordo com as instruções da embalagem, mexendo sempre para evitar que a massa grude.
3. Enquanto isso, aqueça o azeite restante em uma panela grande de fundo grosso. Junte o alho e os vôngoles, tampe e deixe cozinhar, em fogo médio, por 3 minutos. Adicione o vinho, tampe e cozinhe por mais 2-3 minutos, até os vôngoles abrirem. Tire do fogo e descarte os vôngoles fechados. Misture a salsa e um pouco de sal e pimenta-do-reino.
4. Escorra o espaguete, passe na água fervente e escorra novamente. Coloque na panela com os vôngoles, misture e sirva imediatamente.

kedgeree

PREPARO **10 MINUTOS** COZIMENTO **30-35 MINUTOS** RENDIMENTO **4 PORÇÕES**

650 g de filés de hadoque defumado sem corantes
100 g de creme vegetal de soja (sem lactose)
1 cebola bem picada
½ colher (sopa) de páprica
350 g de arroz de grão longo lavado
2 punhados de salsa picada
3 ovos cozidos picados
sal e pimenta-do-reino moída na hora

1 Coloque os filés de hadoque em uma panela grossa, cubra com 1 litro de água fervente, tampe e apure em fogo baixo por uns 10 minutos. Tire o peixe da panela com a escumadeira, coloque em um prato e retire a pele e as espinhas. Desfie o peixe com um garfo. Coe e reserve o líquido do cozimento.

2 Derreta o creme vegetal em uma panela grande de fundo grosso. Junte a cebola e refogue em fogo médio por 2-3 minutos, até começar a dourar. Adicione a páprica, o arroz e o líquido do cozimento do peixe. Tampe, deixe ferver, abaixe o fogo e apure por 15-20 minutos, até o arroz ficar tenro. Se necessário, acrescente mais água fervente.

3 Misture as lascas de peixe e a salsa picada e continue a cozinhar, sem tampa, até todo o líquido ser absorvido. Tempere ligeiramente com sal e pimenta-do-reino e sirva com os ovos picados por cima.

penne com tomate, manjericão e azeitona

PREPARO **5 MINUTOS** COZIMENTO **1 HORA** RENDIMENTO **4 PORÇÕES**

16 tomates maduros e firmes (cerca de 1,8 kg)
4 ½ colheres (sopa) de azeite
1 cebola grande picada
2 dentes grandes de alho amassados
150 g de azeitonas pretas cortadas ao meio
4 colheres (sopa) cheias de manjericão picado
400 g de penne sem glúten ou outro macarrão
sal e pimenta-do-reino moída na hora

1 Preaqueça o forno a 180°C. Com uma faca afiada, faça uma cruz na pele dos tomates e coloque-os em uma assadeira. Regue com 2 ½ colheres (sopa) de azeite e asse por 45 minutos.

2 Cinco minutos antes de os tomates ficarem prontos, aqueça 1 colher (sopa) de azeite em uma panela grossa. Junte a cebola e refogue por 2-3 minutos em fogo médio até começar a dourar.

3 Tire os tomates do forno, retire a pele com uma faca e um garfo, e despedace a polpa com cuidado. Ponha o alho na panela e frite por 30 segundos; misture a polpa e o suco dos tomates. Adicione as azeitonas e tempere com um pouco de sal e pimenta-do-reino. Cozinhe por 12-14 minutos, até o molho reduzir à metade e ficar fluido, mas encorpado.

4 Ferva água em uma panela grande. Junte o azeite restante e o macarrão, e cozinhe por 8-10 minutos, em fogo médio, ou de acordo com as instruções da embalagem, mexendo sempre para o macarrão não grudar. Escorra, enxágue bem em água fervente e escorra novamente. Passe para uma travessa grande de servir.

5 Junte o manjericão ao molho, misture com o macarrão e sirva.

fritada de aspargos

PREPARO **5 MINUTOS** COZIMENTO **7-10 MINUTOS** RENDIMENTO **2 PORÇÕES**

12 aspargos limpos
6 ovos
15 g de creme vegetal de soja (sem lactose)
50 g de tofu em cubinhos
4 talos de cebolinha bem picados
1 colher (sopa) de hortelã picada
1 colher (sopa) de dill picado
sal e pimenta-do-reino moída na hora

1 Coloque os aspargos na panela a vapor e cozinhe em fogo médio por 3-4 minutos, até ficarem tenros, mas ainda crocantes. Escorra.

2 Bata bem os ovos em uma tigela e adicione um pouco de sal e pimenta-do-reino.

3 Derreta o creme vegetal em fogo baixo. Derrame a mistura de ovos e mexa para cobrir o fundo. Distribua o tofu, a cebolinha e as ervas uniformemente. Por fim, ponha os talos de aspargos.

4 Deixe no fogo por 3-4 minutos, até dourar por baixo. Preaqueça o forno ao máximo. Passe a fritada para um refratário e leve ao forno por 1-2 minutos, até a omelete endurecer e dourar por cima. Retire e sirva quente ou fria, com uma salada mista de folhas.

quiche de espinafre

PREPARO **15 MINUTOS MAIS 30 MINUTOS PARA ESFRIAR** COZIMENTO **40-50 MINUTOS**
TEMPO ADICIONAL **PREPARO DA MASSA** RENDIMENTO **4 PORÇÕES**

creme vegetal de soja (sem lactose) para untar

farinha de arroz para polvilhar

uma receita de massa podre ou a versão sem glúten (*p. 21*)

1 colher (sopa) de azeite

250 g de folhas tenras de espinafre

60 g de tofu

2 ovos mais 5 gemas grandes

6 colheres (sopa) de leite de soja sem açúcar

½ colher (chá) de noz-moscada ralada

sal e pimenta-do-reino moída na hora

1 Preaqueça o forno a 200°C. Unte uma fôrma redonda de 25 cm × 3 cm de altura com o creme vegetal de soja.

2 Sobre uma superfície polvilhada com farinha de arroz, abra um disco de massa de 2 mm de espessura e 3 cm maior que a fôrma, para cobrir as laterais. Cuidado, pois a massa ainda estará grudenta. Depois de ajustar as bordas com uma faca, ajeite a massa na fôrma, pressionando com cuidado para retirar as bolhas de ar. Se a massa parecer muito frágil para ser levada à fôrma, vire a fôrma, coloque-a sobre a massa e desvire, permitindo que a massa se acomode.

3 Coloque uma rodela de papel-manteiga sobre a massa e cubra com feijão cru. Asse no forno preaquecido por 10-12 minutos até dourar. Tire a massa do forno, descarte o papel e o feijão e baixe a temperatura para 180°C.

4 Aqueça o azeite em uma wok em fogo baixo. Adicione o espinafre e refogue, mexendo sempre, por 2-3 minutos, até quase murchar. Espalhe o espinafre sobre a massa de torta preparada e o tofu amassado por cima. Em uma tigela, junte os ovos, as gemas, o leite de soja, a noz-moscada, sal e pimenta-do-reino. Derrame a mistura sobre o espinafre e o tofu.

5 Asse no forno preaquecido por 30-35 minutos, até o recheio cozinhar bem. Tire a quiche do forno e deixe esfriar até o recheio endurecer. Desenforme com cuidado e sirva com uma salada de folhas mistas.

refogado de aspargos, shimeji e ervilha-torta

PREPARO **5 MINUTOS** COZIMENTO **6-7 MINUTOS** RENDIMENTO **4 PORÇÕES**

1 colher (sopa) de azeite
1 colher (sopa) de óleo de gergelim
2 maços de cebolinha bem picada
2,5 cm de gengibre bem picado
½ pimenta-malagueta grande bem picada
2 dentes de alho amassados
500 g de aspargos frescos cortados ao meio no sentido do comprimento
300 g de ervilha-torta
250 g de shimeji em pedacinhos
3 colheres (sopa) de molho de soja tamari
75 g de gergelim tostado
dois punhados de coentro picado
um punhado de hortelã picada

1. Aqueça o azeite e o óleo numa wok em fogo alto. Adicione a cebolinha e refogue, mexendo sempre, por 1 minuto. Junte o gengibre, a pimenta, o alho e o aspargo, e cozinhe, sem parar de mexer, por 1 minuto.
2. Junte a ervilha-torta e o shimeji e deixe cozinhar por 1 minuto. Adicione o molho de soja tamari e frite por 3-4 minutos, até todos os legumes ficarem bem cozidos mas ainda crocantes.
3. Misture o gergelim e as ervas picadas. Acerte o tempero e, se necessário, acrescente molho de soja. Sirva com arroz basmati no vapor ou macarrão de arroz.

chá e lanche

Você não precisa se privar de bolachas, brownies, biscoitos, bolos e tortas: há ingredientes alternativos que podem ser usados, inclusive produtos de soja, farinhas de arroz e de grão-de-bico, e amêndoas moídas. Aqui, há várias receitas deliciosas com esses ingredientes. Os alimentos que vão ao forno são gostosos de preparar e de comer. Você vai precisar apenas de algumas assadeiras, alguns ingredientes e tempo. A maioria dos pratos se conserva por alguns dias, portanto prepare-os no fim de semana e saboreie-os ao longo da semana. Aprecie as delícias criadas especialmente para você: o saboroso brownie de chocolate e avelã, o bolo de fubá com limão, as tortas de frutas ou os biscoitos crocantes de semente de girassol. Porém, se a família e os amigos insistirem, compartilhe com eles também!

brownie de chocolate e avelã

PREPARO **10 MINUTOS** COZIMENTO **12-15 MINUTOS** RENDIMENTO **20 PEDAÇOS**

150 g de creme vegetal de soja (sem lactose) e mais um pouco para untar
200 g de chocolate amargo (sem lactose)
200 g de adoçante de frutose
2 ovos grandes batidos
1 colher (chá) de extrato de baunilha
50 g de farinha de arroz
25 g de farinha de grão-de-bico
1 colher (chá) de fermento em pó sem glúten
100 g de avelãs picadas

1 Preaqueça o forno a 180°C. Unte uma fôrma de 20 cm × 30 cm com creme vegetal de soja (sem lactose) e forre o fundo com papel-manteiga.
2 Quebre o chocolate em pedacinhos e coloque em uma vasilha refratária. Apoie-a sobre uma panela com água fervente, mas sem tocar na água. Mexa de vez em quando até o chocolate derreter. Junte o creme vegetal e continue a mexer até derreter e incorporar completamente o chocolate.
3 Retire a vasilha do fogo e misture a frutose, os ovos batidos e o extrato de baunilha. Mexa bem e peneire as farinhas e o fermento sobre a vasilha. Misture cuidadosamente, agregando bem os ingredientes, mas não bata com força para evitar a perda de ar. Junte as avelãs.
4 Com uma colher, passe a mistura para a fôrma forrada, espalhando uniformemente pelos cantos com o dorso da colher. Asse no forno preaquecido por 12-15 minutos até crescer e ficar firme ao toque. Ao espetar um palito no centro do bolo, a massa deve aderir apenas um pouco. Retire do forno e deixe esfriar por 5 minutos antes de desenformar. Deixe esfriar completamente. Corte em 20 quadrados.

biscoito crocante de figo com castanha-do-pará

PREPARO **10 MINUTOS** COZIMENTO **20-22 MINUTOS** RENDIMENTO **10 PORÇÕES**

150 g de creme vegetal de soja (sem lactose) e mais um pouco para untar
75 g de adoçante de frutose
1 colher (sopa) de mel claro
1 colher (chá) de noz-moscada ralada na hora
30 g de farinha de cevada
60 g de farinha de grão-de-bico
60 g de farinha de arroz
1 colher (chá) de fermento em pó sem glúten
150 g de aveia em flocos grossos
150 g de figos secos sem açúcar picados
50 g de castanhas-do-pará picadas

1 Preaqueça o forno a 180°C. Unte uma fôrma com creme vegetal de soja (sem lactose). Coloque o creme vegetal, a frutose e o mel em uma panela e aqueça em fogo brando até derreter o creme vegetal e dissolver o adoçante. Junte a noz-moscada e mexa.
2 Em uma tigela grande, misture as farinhas com o fermento em pó. Adicione a aveia, os figos, as pecãs e mexa bem. Derrame a mistura de margarina derretida e mexa de novo.
3 Pegue 2 colheres (sopa) da mistura, faça uma bola e coloque na assadeira. Repita até usar toda a massa, depois achate as bolas levemente (por isso deixe espaço entre elas).
4 Asse no forno preaquecido por 20-22 minutos, até dourar. Retire os biscoitos do forno e deixe esfriar completamente.

biscoitos de amêndoa

PREPARO **10 MINUTOS** COZIMENTO **14-17 MINUTOS** RENDIMENTO **14-16 BISCOITOS**

175 g de creme vegetal de soja (sem lactose)
400 g de adoçante de frutose
135 g de farinha de arroz
40 g de farinha de grão-de-bico
30 g de amêndoas moídas
½ colher (chá) rasa de essência de amêndoas

1. Preaqueça o forno a 180°C. Forre duas fôrmas com papel-manteiga.
2. Coloque o creme vegetal e a frutose na panela e aqueça em fogo brando, até o creme vegetal derreter e o adoçante dissolver. Ferva, abaixe o fogo e apure por 4-5 minutos, até a mistura caramelizar levemente e ficar com a consistência de xarope.
3. Em uma tigela grande, peneire as farinhas e as amêndoas moídas. Derrame a mistura por cima, junte a essência de amêndoas e mexa bem.
4. Ponha 1 colher (sopa) de cada vez da mistura sobre as fôrmas forradas, formando 14-16 bolas. Pressione com a colher para deixar no formato de biscoito.
5. Asse por 10-12 minutos, até dourar ligeiramente. Retire os biscoitos do forno e deixe esfriar completamente antes de servir.

bolo de fubá com limão

PREPARO **10 MINUTOS** COZIMENTO **35-40 MINUTOS** RENDIMENTO **10 PORÇÕES**

300 g de creme vegetal de soja (sem lactose) amolecido e mais um pouco para untar
200 g de adoçante de frutose
4 ovos grandes batidos
4 colheres (sopa) de mel claro
350 g de fubá
100 g de amêndoas moídas e mais um pouco para enfeitar
1 colher (chá) de fermento em pó sem glúten
suco de 1 ½ limão-siciliano e raspas de 1 (mais fios ou raspas de outro para decorar)

1. Preaqueça o forno a 180°C. Unte uma fôrma redonda e funda de 20 cm com creme vegetal de soja (sem lactose) e forre-a com papel-manteiga.
2. Bata o creme vegetal e a frutose em uma tigela grande com o míxer, até virar uma mistura leve e fofa. Junte e misture aos poucos os ovos e o mel.
3. Adicione o fubá, as amêndoas moídas, o fermento em pó, o suco e as raspas de limão. Misture bem e despeje sobre a fôrma forrada.
4. Leve ao forno por 35-40 minutos, até dourar nas laterais e ficar firme. Espete um palito no centro: ele deve sair limpo se o bolo estiver pronto. Retire do forno e espere 5 minutos antes de desenformar. Deixe esfriar completamente.
5. Polvilhe as amêndoas moídas e as raspas ou tirinhas de limão.

bolo picante de gengibre

PREPARO **10 MINUTOS** COZIMENTO **20-25 MINUTOS** RENDIMENTO **8 PORÇÕES**

100 g de creme vegetal de soja (sem lactose) amolecido e mais um pouco para untar
75 g de adoçante de frutose
1 ovo batido
3 colheres (sopa) de melado
100 g de farinha de arroz
50 g de farinha de grão-de-bico
50 g de farinha de milheto
2 colheres (chá) de gengibre em pó
2 cm de gengibre fresco descascado e picado

1 Preaqueça o forno a 180°C. Unte ligeiramente uma fôrma redonda de 20 cm com creme vegetal de soja (sem lactose) e forre-a com papel-manteiga.
2 Bata o creme vegetal e a frutose em uma tigela grande com o míxer, até ficar uma mistura leve e fofa. Adicione aos poucos o ovo e o melado.
3 Peneire as farinhas e junte o gengibre. Mexa bem com uma colher.
4 Passe a mistura para a fôrma forrada e asse no forno preaquecido por 20-25 minutos, até dourar bem. Enfie um palito no centro do bolo: se estiver pronto, apenas um pouco da massa ficará grudada. Tire do forno, espere 3-4 minutos, desenforme e deixe esfriar completamente antes de servir.

bolo de banana

PREPARO **10 MINUTOS** COZIMENTO **45-50 MINUTOS** RENDIMENTO **6 PORÇÕES**

100 g de creme vegetal de soja (sem lactose) amolecido e mais um pouco para untar
100 g de adoçante de frutose
2 ovos grandes
1 colher (chá) de essência de baunilha
80 g de farinha de arroz
40 g de farinha de milheto
40 g de farinha de grão-de-bico
2 colheres (chá) de fermento em pó sem glúten
4 bananas bem maduras amassadas

1 Preaqueça o forno a 180°C. Unte uma fôrma para pão de 450 g com o creme vegetal.

2 Com o míxer, bata o creme vegetal com a frutose em uma tigela grande, até obter uma mistura leve e fofa. Adicione aos poucos os ovos e a essência de baunilha.

3 Em uma tigela limpa, peneire as farinhas e o fermento em pó. Misture com cuidado metade da farinha à massa e repita o processo com a farinha restante. Acrescente as bananas e incorpore bem.

4 Passe a mistura para a fôrma preparada e asse no forno preaquecido por 45-50 minutos, até dourar bem e ficar firme. Para saber se está assado, enfie um palito no centro: apenas um pouco de massa deverá grudar nele. Tire do forno, espere 3-4 minutos, desenforme e deixe esfriar completamente antes de servir.

bolinhos de cenoura com beterraba

PREPARO **10 MINUTOS** COZIMENTO **15-20 MINUTOS** RENDIMENTO **10 BOLINHOS**

150 g de creme vegetal de soja (sem lactose) amolecido
125 g de adoçante de frutose
3 ovos batidos
75 g de farinha de arroz
75 g de farinha de grão-de-bico
1 colher (chá) de fermento em pó sem glúten
1 colher (chá) de bicarbonato de sódio
1 colher (chá) de canela em pó
200 g de cenouras descascadas raladas
100 g de beterrabas descascadas raladas

Cobertura:
100 g de iogurte à base de soja
2 colheres (sopa) de mel claro

1. Preaqueça o forno a 180°C. Disponha 10 forminhas de papel em uma fôrma para muffins.
2. Usando um míxer, bata o creme vegetal com a frutose em uma tigela grande, até obter uma mistura leve e fofa. Junte os ovos aos poucos, até misturar bem.
3. Peneire as farinhas, o fermento, o bicarbonato e a canela sobre a massa e, com uma colher, incorpore rapidamente a cenoura e a beterraba raladas. Veja se a massa está homogênea, mas não misture demais.
4. Distribua a mistura entre as forminhas e asse no forno preaquecido por 10 minutos, depois cubra com papel-manteiga para evitar que queimem. Deixe mais 5-10 minutos, até crescerem bem e um palito espetado no centro sair limpo. Retire os bolinhos do forno e deixe esfriar completamente.
5. Quando os bolinhos estiverem frios, prepare a cobertura. Com o míxer, bata o iogurte e o mel em uma tigela até virar um creme liso. Espalhe um pouco sobre cada bolinho.

barrinhas de damasco, manga e coco

PREPARO **10 MINUTOS** COZIMENTO **45-50 MINUTOS** RENDIMENTO **10 BARRINHAS**

creme vegetal de soja (sem lactose) para untar
100 g de damascos secos (sem açúcar) bem picados
100 g de manga desidratada (sem açúcar) bem picada
35 g de coco em flocos (sem açúcar)
200 g de leite de coco
200 g de aveia em flocos
2 colheres (sopa) de azeite
4 colheres (sopa) de xarope de manga (ou suco concentrado com açúcar)

1. Preaqueça o forno a 180°C. Unte uma assadeira de 20 cm x 30 cm com o creme vegetal e forre o fundo com papel-manteiga.
2. Coloque o damasco e a manga em uma panela com ½ litro de água. Deixe ferver, abaixe o fogo e apure por 15-20 minutos, até as frutas amolecerem e a água ser absorvida.
3. Enquanto isso, aqueça uma frigideira grossa em fogo médio. Jogue o coco em flocos e frite a seco até dourar levemente, mexendo sempre para não queimar. Reserve. Derreta o leite de coco em uma panela pequena, em fogo bem baixo.
4. Coloque a aveia em uma tigela grande e abra um buraco no centro. Coloque o azeite e trabalhe a aveia com as pontas dos dedos, distribuindo o azeite por igual. Junte o leite de coco, o xarope de manga e metade da mistura de damasco com manga, mexendo bem.
5. Prepare a assadeira em camadas finas: espalhe metade da mistura de aveia no fundo da fôrma preparada, pressionando bem com as pontas dos dedos ou com uma colher. Por cima, espalhe a mistura de damasco e manga restante, e depois a outra metade da mistura de aveia.
6. Asse no forno preaquecido por 25-30 minutos até dourar bem e ficar firme. Retire do forno, polvilhe com o coco reservado e deixe esfriar na fôrma por 3-4 minutos. Corte 10 barrinhas, desenforme e deixe esfriar completamente antes de servir.

tortinhas de frutas vermelhas

PREPARO **15 MINUTOS** COZIMENTO **35-40 MINUTOS**
TEMPO ADICIONAL **PREPARO DA MASSA** RENDIMENTO **6 TORTINHAS**

90 g de creme vegetal de soja (sem lactose) amolecido e mais um pouco para untar
farinha de arroz para polvilhar
uma receita de massa podre para doces (*p. 22*)
50 g de adoçante de frutose, mais um pouco para polvilhar
1 ovo grande batido
100 g de amêndoas moídas
200 g de frutas vermelhas frescas

1 Preaqueça o forno a 190°C. Unte uma fôrma de muffins para 6 bolinhos com o creme vegetal de soja.
2 Com cuidado, abra a massa sobre uma superfície levemente polvilhada com farinha de arroz, até ficar com 2 mm de espessura. Com um aro cortador um pouco maior do que a fôrma, faça 6 círculos. Tenha cuidado, pois a massa ainda estará um pouco grudenta.
3 Ponha os círculos de massa na fôrma (talvez seja preciso usar uma espátula) e pressione levemente para retirar possíveis bolhas de ar. Forre as forminhas com papel-manteiga e encha com feijão cru. Asse no forno preaquecido por 8-10 minutos, até a massa ficar firme e ligeiramente dourada.
4 Enquanto isso, bata o creme vegetal e a frutose com o míxer em uma tigela grande, até virar uma mistura leve e fofa. Adicione o ovo aos poucos, até misturar bem, e junte as amêndoas moídas.
5 Retire a fôrma de muffins do forno, descarte o papel e o feijão. Encha com o recheio. Ponha um punhado pequeno de frutas em cada tortinha e leve novamente ao forno quente por 25-30 minutos, até ficarem firmes e bem tostadas. Retire do forno, espere 5 minutos, desenforme e deixe esfriar completamente. Polvilhe a frutose restante sobre as tortas antes de servir.

tortinhas de frutas

PREPARO **20 MINUTOS** COZIMENTO **25 MINUTOS**
TEMPO ADICIONAL **PREPARO DA MASSA** RENDIMENTO **4 OU 6 PORÇÕES**

creme vegetal de soja (sem lactose) para untar
uma receita de massa podre para doces (*p. 22*)
farinha de arroz para polvilhar
1 copo de leite de soja
1 ½ colher (chá) de amido de milho
3 gemas grandes
40 g de adoçante de frutose
½ colher (chá) de essência de baunilha
9-15 morangos (dependendo do tamanho) limpos e cortados ao meio, ou 3 pêssegos ou nectarinas descascados em oito pedaços
1 colher (sopa) de geleia de damasco sem açúcar

1 Preaqueça o forno a 200°C. Unte forminhas com o creme vegetal.

2 Abra a massa com cuidado sobre uma superfície polvilhada com bastante farinha de arroz, até ficar com 2 mm de espessura. Com um aro cortador, um pouco maior que a fôrma para que a massa cubra a lateral, corte seis ou quatro discos, descartando as sobras. Tenha muito cuidado, pois a massa ainda pode grudar um pouco.

3 Forre as forminhas com a massa (use uma espátula de metal, se precisar) e pressione suavemente para retirar possíveis bolsas de ar. Forre as tortinhas com papel-manteiga e encha com feijão cru. Se estiver usando forminhas individuais, coloque-as em uma assadeira. Asse no forno preaquecido por 8-10 minutos, até a massa ficar firme e dourar um pouco.

4 Enquanto isso, aqueça o leite de soja em uma panela grossa, em fogo baixo, até quase ferver. Em uma tigela pequena, misture 1 colher (chá) de água com o amido de milho. Bata as gemas por 2 minutos em uma tigela grande, acrescente o adoçante e o amido de milho, e bata por mais 2-3 minutos até engrossar. Despeje o leite aquecido e junte a essência de baunilha, mexendo bem. Leve o creme de volta à panela e aqueça em fogo baixo por 5-10 minutos, mexendo ou batendo, até engrossar e ficar cremoso.

5 Tire as forminhas do forno e descarte o papel-manteiga e o feijão. Diminua o fogo para 180°C. Distribua o creme entre as forminhas, ponha 3-5 metades de morango ou 4 fatias de pêssego ou nectarina em cada uma, e asse por 15 minutos. Retire as tortas do forno, deixe esfriar e desenforme.

6 Em uma panela pequena, aqueça cuidadosamente a geleia de damasco com 1 colher (chá) de água, até dissolver. Pincele ligeiramente as frutas com essa cobertura e sirva.

biscoitos de sementes de girassol

PREPARO **10 MINUTOS** COZIMENTO **35 MINUTOS** RENDIMENTO **8 PORÇÕES**

50 g de creme vegetal de soja (sem lactose) e mais um pouco para untar
50 g de sementes de girassol
200 g de farinha de grão-de-bicor
200 g de farinha de arroz e mais um pouco para polvilhar
1 ½ colher (chá) de fermento em pó sem glúten
½ colher (chá) de sal
3 colheres (sopa) de azeite

1. Preaqueça o forno a 180°C. Unte duas assadeiras com o creme vegetal.
2. Frite as sementes de girassol em uma frigideira de fundo grosso em fogo médio a seco, até começarem a dourar. Retire da frigideira.
3. Peneire as farinhas, o fermento e o sal em uma tigela grande. Faça um buraco no centro e adicione o azeite. Com as pontas dos dedos, incorpore-o às farinhas. Acrescente o creme vegetal e proceda da mesma forma. Junte as sementes de girassol.
4. Faça um buraco na mistura de farinhas e despeje 165 ml de água. Mexa aos poucos até agregar bem e formar uma bola de massa macia.
5. Ponha a massa sobre uma superfície polvilhada com farinha de arroz e abra até ficar com 5 mm de espessura. Com um aro cortador de 12 cm, corte oito discos de massa. Junte as sobras em uma bola e abra novamente, até fazer todos os discos. Coloque sobre as fôrmas preparadas e asse no forno aquecido por 28-30 minutos, até dourarem bem.
6. Tire os biscoitos do forno e deixe esfriar completamente antes de servir com tofu e molho de abacate (*p. 64*) ou patê de salmão defumado (*p. 42*).

bolinhos de aveia com tomate seco

PREPARO **10 MINUTOS** COZIMENTO **20-25 MINUTOS** RENDIMENTO **8 PORÇÕES**

30 g de creme vegetal de soja (sem lactose) e mais um pouco para untar
250 g de aveia em flocos finos
½ colher (chá) de bicarbonato de sódio
½ colher (chá) de orégano desidratado
75 g de tomate seco no azeite escorrido e picado

1 Preaqueça o forno a 200°C. Unte duas fôrmas pequenas de pudim ou 8 forminhas com o creme vegetal.

2 Em uma tigela grande, misture a aveia, o bicarbonato e o orégano e faça um buraco no meio. Derreta o creme vegetal numa panela em fogo baixo e despeje no buraco. Com uma colher de pau, misture aos poucos o creme vegetal derretido, distribuindo-o de modo uniforme. Junte os tomates secos, 100 ml de água e misture até agregar bem.

3 Separe a massa em oito partes e pressione uma porção no fundo de cada fôrma. O dorso da colher de metal pode funcionar melhor que os dedos, já que a mistura é bem grudenta. Se estiver usando forminhas individuais, coloque-as sobre uma assadeira.

4 Asse no forno aquecido por 20-25 minutos até dourar bem. Tire as tortinhas do forno, espere 5 minutos, desenforme e deixe esfriar completamente. Sirva com tofu, homus ou patê de alcachofra (*p. 45*).

jantar

Pensou que nunca mais poderia consumir risoto, macarrão ou curry? Este capítulo está repleto de receitas saborosas de pratos principais. Muitos ficarão surpresos ao descobrir o que pode ser consumido. Um nhoque delicioso com molho de cogumelos e bacon propiciará uma refeição quente e nutritiva. Os bolinhos de salmão crocantes farão sucesso entre as crianças. Vários desses jantares podem ser feitos em menos de 30 minutos, como a carne de porco com castanhas, maçã e sálvia – o predileto de muitas famílias –, ou o espaguete com almôndegas. Mas há refeições sofisticadas para ocasiões especiais, como o pato com molho de cereja, ou os enroladinhos de badejo com ervas – pratos para serem compartilhados em momentos agradáveis junto aos que amamos.

frango persa com purê verde

PREPARO **10 MINUTOS, MAIS 2 HORAS DE MARINADA** COZIMENTO **35 MINUTOS**
TEMPO ADICIONAL **PREPARO DO CALDO** RENDIMENTO **4 PORÇÕES**

4 peitos de frango desossados sem pele

8 colheres (sopa) de azeite

suco de 1 limão

1 cebola roxa bem picada

200 g de ervilhas frescas

200 ml de caldo de legumes (*p. 25*) ou caldo em pó sem glúten, fermento ou laticínios

2 colheres (sopa) de hortelã picada

25 g de tofu picado

sal e pimenta-do-reino moída na hora

1 Disponha os peitos de frango em uma travessa grande. Misture 6 colheres (sopa) do azeite com o suco de limão e despeje sobre o frango. Cubra e deixe na geladeira marinando por 2 horas.

2 Preaqueça o forno a 180°C. Aqueça o azeite restante em uma panela de fundo grosso e refogue a cebola em fogo baixo por 1-2 minutos. Junte a ervilha e o caldo e cozinhe por 5 minutos. Adicione a hortelã, sal e pimenta.

3 Coloque o tofu na panela e bata com o míxer. Se preferir, use o liquidificador ou o processador. Ponha a mistura em uma peneira sobre uma tigela e use uma colher de pau para separar o purê, reservando o líquido.

4 Retire o frango da travessa, desprezando a marinada. Faça um corte horizontal ao longo da parte mais grossa de cada peito sem cortar por inteiro, fazendo um bolso. Recheie bem as aberturas com o purê e feche-as com palitos de madeira.

5 Coloque o frango recheado em um refratário e espalhe o purê restante sobre os peitos. Despeje o líquido reservado no fundo da travessa, cuidando para não derramar sobre o frango. Asse no forno preaquecido por 25 minutos até cozinhar bem. Retire os palitos e sirva com batatinhas cozidas e legumes.

risoto de frango com ervas

PREPARO **5 MINUTOS** COZIMENTO **25-30 MINUTOS**
TEMPO ADICIONAL **PREPARO DO CALDO** RENDIMENTO **4 PORÇÕES**

800 ml de caldo de galinha ou legumes (*pp. 24-25*), ou caldo de legumes em pó sem glúten, fermento ou laticínios
6 colheres (sopa) de azeite
4 peitos de frango desossados e sem pele em pedacinhos
1 cebola pequena bem picada
2 colheres (sopa) de salsa picada
2 colheres (sopa) de hortelã picada
2 colheres (sopa) de manjericão picado
250 g de arroz arbóreo ou outro arroz para risoto
300 ml de vinho branco seco orgânico
sal e pimenta-do-reino moída na hora

1 Aqueça o caldo em uma panela até quase ferver, abaixe o fogo, tampe e deixe apurar enquanto prepara a mistura de arroz.
2 Aqueça 2 colheres (sopa) do azeite em uma panela grande de fundo grosso. Junte o frango e refogue em fogo médio por 5-6 minutos, até dourar ligeiramente. Retire da panela com a escumadeira e reserve.
3 Coloque o azeite restante na panela, aqueça e refogue a cebola em fogo médio por 2-3 minutos, até começar a dourar. Ponha metade das ervas picadas, o arroz e mexa bem, para cobrir bem os grãos com o azeite.
4 Derrame um pouco do vinho na mistura e mexa. Continue a cozinhar em fogo baixo, adicionando o vinho aos poucos e mexendo sempre, até secar. Junte o frango e uma concha do caldo e mexa até absorver todo o líquido. Continue colocando o caldo e mexendo por 18-20 minutos, até o arroz ficar *al dente* e o líquido secar.
5 Adicione as ervas restantes, sal e pimenta. Sirva com uma salada mista.

frango ao molho verde

PREPARO **10 MINUTOS** COZIMENTO **10-12 MINUTOS** RENDIMENTO **4 PORÇÕES**

1 colher (sopa) de azeite

4 peitos de frango desossados sem pele

350 g de vagem limpa

500 g de folhas tenras de espinafre

Molho verde:

2 colheres (sopa) de manjericão picado

2 colheres (sopa) de hortelã picada

2 colheres (sopa) de salsa picada

1 dente de alho picado

6 anchovas no óleo escorridas e picadas

2 colheres (sopa) de alcaparras

suco de ½ limão

2 colheres (sopa) de azeite

1 Faça o molho verde batendo as ervas, o alho, as anchovas e as alcaparras no processador até formar uma pasta. Com o aparelho ligado, adicione o suco de limão e o azeite aos poucos, até misturar bem. Ponha em uma vasilha e tampe.

2 Aqueça o azeite em uma panela grande de fundo grosso, ponha o frango, tampe e refogue em fogo médio por 10-12 minutos, mexendo de vez em quando até cozinhar bem.

3 Na metade do cozimento, coloque a vagem em uma panela a vapor e cozinhe por 2 minutos. Junte o espinafre e continue a cozinhar por mais um minuto até a vagem ficar tenra e o espinafre começar a murchar.

4 Espalhe o molho verde sobre os pedaços de frango e sirva com a vagem e o espinafre, fatias fritas ou grelhadas de polenta rápida (*p. 143*) e uma salada de folhas mistas.

frango com curry verde à tailandesa

PREPARO **10 MINUTOS** COZIMENTO **20-25 MINUTOS**
TEMPO ADICIONAL **PREPARO DA PASTA DE CURRY** RENDIMENTO **4 PORÇÕES**

2 colheres (sopa) de azeite
4 peitos de frango desossados e sem pele em tirinhas
400 ml de leite de coco
2 colheres (sopa) de pasta de curry verde tailandês (*p. 20*)
3 colheres (sopa) de molho de peixe tailandês
1 tirinha de casca de limão
100 g de vagem limpa
1 pimentão vermelho ou amarelo em tirinhas
100 g de ervilha-torta
100 g de brotos de feijão
folhas de manjericão cortadas ao meio
½ pimenta verde grande em tirinhas
folhas de coentro

1. Aqueça uma wok, derrame o azeite e espalhe. Coloque o frango e refogue em fogo médio por 2-3 minutos, mexendo até dourar levemente; retire e transfira para um prato. Ponha o leite de coco na wok e cozinhe em fogo brando por 4-5 minutos. Adicione a pasta de curry e cozinhe por mais 2-3 minutos, mexendo bem.
2. Junte o molho de peixe, a tirinha de casca de limão, a vagem e o pimentão e cozinhe em fogo brando por 3-4 minutos. Não deixe ferver para não talhar o leite de coco. Junte a ervilha-torta e os brotos de feijão e deixe no fogo por 10 minutos, até o frango cozinhar.
3. Ajuste o tempero e adicione um pouco mais de molho de peixe, se desejar. Salpique o manjericão, a pimenta e o coentro e sirva com arroz basmati cozido no vapor.

frango assado tenro

PREPARO **10 MINUTOS** COZIMENTO **1h45**
TEMPO ADICIONAL **PREPARO DO CALDO** RENDIMENTO **4 PORÇÕES**

1,8 kg de frango
1 colher (sopa) de azeite
1 dente de alho grande fatiado
4 ramos de alecrim
800 g de batatas descascadas em quartos
250 ml de caldo de galinha ou de legumes (*pp. 24-25*) ou caldo de legumes em pó sem glúten, fermento ou laticínios
250 ml de vinho branco seco orgânico
sal e pimenta-do-reino moída na hora

1 Preaqueça o forno a 180°C. Coloque o frango em um refratário grande untado com o azeite. Faça talhos na carne ao longo do peito e acima das coxas. Enfie uma fatia de alho em cada corte e ajeite os ramos de alecrim sobre o frango.
2 Disponha a batata em volta e salpique um pouco de sal e pimenta. Despeje o caldo e o vinho no fundo da travessa e cubra com papel-alumínio, dobrando as pontas por baixo.
3 Asse no forno preaquecido por 1 hora. Retire o papel-alumínio e reserve. Asse por mais 40 minutos, até o suco da carne sair claro ao se espetar a parte mais grossa da coxa. Se o caldo sair rosado, deixe mais um pouco. Tire do forno, recoloque o papel-alumínio, dobre as pontas por baixo e deixe em lugar aquecido por 10-15 minutos.
4 Recolha o caldo do cozimento em uma molheira e, com uma colher, retire e descarte a camada de gordura da superfície. Despeje o caldo em uma panela e cozinhe em fogo alto por 2-3 minutos para reduzir. Sirva o frango e a batata com legumes ao forno (*p. 145*), legumes à moda italiana (*p. 148*) ou repolho-roxo com maçã (*p. 147*).

confit de pato

PREPARO **15 MINUTOS, MAIS 2 DIAS NA GELADEIRA** COZIMENTO **2 HORAS** RENDIMENTO **4 PORÇÕES**

4 coxas grandes de pato

25 g de sal

2 dentes de alho amassados

6 ramos de tomilho

1 kg de gordura de ganso ou pato

1 Disponha as coxas de pato com a pele para cima em um refratário. Salpique o sal e o alho, e coloque os ramos de tomilho por cima. Cubra e deixe na geladeira por 24 horas. Não deixe por mais tempo, senão ficará muito salgado.

2 Retire o pato da vasilha e escorra bem, retirando todo o sal. Limpe a travessa e arrume as coxas como antes. Preaqueça o forno a 140°C.

3 Aqueça a gordura de ganso ou de pato numa panela em fogo baixo até começar a borbulhar, e despeje na travessa, cobrindo as coxas. Cubra e asse em forno médio por 1h30. Tire do forno e deixe esfriar.

4 Passe as coxas frias para um prato. Coe a gordura restante em uma vasilha e despreze o caldo do fundo da travessa. Limpe a travessa e recoloque as coxas. Derrame a gordura coada, cubra e deixe na geladeira por 24 horas.

5 Preaqueça o forno a 180°C. Tire o pato da travessa e descarte quase toda a gordura. Coloque numa assadeira e asse no forno por 20 minutos, até a pele ficar crocante e dourada, e a carne cozida. Tire do forno e sirva com repolho-roxo com maçã (*p. 147*) e batata com funghi (*p. 142*).

pato ao molho de cereja

PREPARO **10 MINUTOS** COZIMENTO **25-35 MINUTOS** RENDIMENTO **4 PORÇÕES**

450 g de cerejas cortadas ao meio
5 bagas de zimbro amassadas
175 ml de vinho tinto orgânico
4 peitos de pato
½ colher (chá) de sal
1 colher (sopa) de azeite
1 colher (chá) de amido de milho
2-3 colheres (chá) de geleia de cereja sem açúcar

1 Preaqueça o forno a 180°C. Coloque as cerejas e o zimbro em uma panela com o vinho tinto. Deixe ferver em fogo médio, diminua o fogo, tampe e apure por 10-15 minutos, até as cerejas ficarem tenras, amassando-as de vez em quando com a colher de pau.

2 Faça um corte na pele de cada peito de pato e tempere com sal. Aqueça o azeite em uma panela de fundo grosso. Coloque o pato com a pele para baixo e cozinhe em fogo médio-alto por 4-5 minutos, até dourar. Com a escumadeira, retire os pedaços da panela e disponha em uma assadeira, com a pele para cima. Despeje o caldo da panela por cima. Asse no forno preaquecido por 20-25 minutos, até a pele ficar crocante, mas a carne levemente rosada no centro.

3 Quando as cerejas ficarem tenras, retire do fogo e despeje a mistura em uma peneira não metálica sobre uma vasilha, espremendo com uma colher para obter o máximo de líquido. Despreze os resíduos. Enxágue a panela e retorne o líquido ao fogo. Ferva, diminua o fogo e deixe apurar por 15-20 minutos, mexendo de vez em quando até reduzir à metade.

4 Misture 1 colher (chá) de água com o amido de milho até virar uma pasta lisa. Adicione ao molho de cereja e continue a cozinhar por mais 4-5 minutos, mexendo de vez em quando até engrossar. Acrescente geleia a gosto.

5 Quando o pato estiver cozido, retire do forno e sirva com o molho e com o purê de ervas (*p. 141*) acompanhado de azeite e legumes.

carne de porco com castanhas e maçã

PREPARO **10 MINUTOS** COZIMENTO **12-15 MINUTOS** RENDIMENTO **4 PORÇÕES**

2 colheres (sopa) de azeite
1 cebola roxa cortada em 16 rodelas
1 dente de alho amassado
650 g de lombo de porco magro em cubos
100 g de castanhas-do-pará picadinhas
2 maçãs descascadas cortadas em 16 pedaços
1 colher (sopa) de sálvia picada
sal e pimenta-do-reino moída na hora

1 Aqueça o azeite em uma panela grande de fundo grosso. Refogue a cebola em fogo baixo por 2 minutos, até começar a dourar. Junte o alho e a carne, tampe e cozinhe por 5 minutos, sacudindo a panela de vez em quando para virar a carne.
2 Destampe, adicione as castanhas, a maçã e a sálvia e cozinhe por mais 5-8 minutos, até a maçã ficar tenra e o líquido evaporar. Tempere com sal e pimenta e sirva com purê de ervas (*p. 141*) preparado com um punhado pequeno de sálvia em vez da salsa ou coentro, e legumes.

carne de porco com molho de umeboshi

PREPARO **5 MINUTOS** COZIMENTO **11-13 MINUTOS** RENDIMENTO **4 PORÇÕES**

4 colheres (sopa) de azeite
650 g de lombo de porco magro em pedaços de 2 cm
2 maços de cebolinha em fatias finas

Molho de umeboshi:
150 ml de mel claro
2 colheres (sopa) de pasta de umeboshi
2 colheres (sopa) de molho de soja tamari
1 colher (chá) de 5 especiarias em pó (anis, canela, cravo, dill e pimenta)

1 Misture bem todos os ingredientes do molho.
2 Aqueça o azeite em uma wok grande, coloque a carne de porco e refogue em fogo alto por 5-6 minutos, mexendo sempre. Junte a cebolinha e refogue por mais 1 minuto.
3 Adicione o molho de umeboshi e cozinhe por 5-6 minutos, mexendo de vez em quando até o porco cozinhar bem e o molho reduzir. Sirva com arroz cozido no vapor.

nhoque com molho de cogumelos e bacon

PREPARO **20 MINUTOS** COZIMENTO **25-30 MINUTOS**
TEMPO ADICIONAL **PREPARO DO MOLHO** RENDIMENTO **4 PORÇÕES**

2 colheres (sopa) de azeite
1 cebola bem picada
2 dentes de alho amassados
350 g de bacon sem nitrato picado
300 g de cogumelos fatiados
uma receita de molho branco com vinho (*p. 19*)
sal e pimenta-do-reino moída na hora

Nhoque:
750 g de batata descascada em pedaços grandes
3 gemas batidas
125 g de farinha de arroz e mais um pouco para polvilhar
sal e pimenta-do-reino moída na hora

1 Para fazer o nhoque, coloque a batata em uma panela com água fria. Ferva em fogo alto, diminua a temperatura, tampe e apure por 15-20 minutos até ficar tenra. Aqueça o azeite para o molho em uma panela de fundo grosso. Junte a cebola e frite em fogo médio por 2-3 minutos, até começar a dourar. Adicione o alho e o bacon e frite mais 3-4 minutos. Ponha o cogumelo e refogue por 10 minutos, mexendo de vez em quando.

2 Quando a batata cozinhar, escorra, amasse bem e aqueça em fogo baixo por alguns minutos. Coloque em uma vasilha com sal e pimenta, adicione as gemas e misture com uma colher de pau, juntando a farinha aos poucos, até ficar uma massa macia e um pouco grudenta.

3 Coloque a massa em uma superfície polvilhada com farinha de arroz e, com as mãos enfarinhadas, trabalhe a massa e forme uma bola. Faça um rolo de cerca de 2 cm de diâmetro. Corte em pedaços de 2 cm, usando um garfo para marcar o nhoque. Deixe sobre uma superfície enfarinhada em camada única.

4 Ferva uma panela grande com água e deixe em fogo médio para manter a temperatura. Coloque ⅓ do nhoque e espere boiar. Deixe mais 1-2 minutos e retire com a escumadeira; mantenha aquecido. Repita a operação com o nhoque restante.

5 Aqueça o molho de vinho branco em fogo brando até quase ferver. Junte a mistura de bacon e um pouco de sal e pimenta. Derrame o molho sobre o nhoque e sirva.

risoto de moranga, alho-poró e bacon

PREPARO **5 MINUTOS** COZIMENTO **45 MINUTOS**
TEMPO ADICIONAL **PREPARO DO CALDO** RENDIMENTO **4 PORÇÕES**

1 kg de moranga em cubinhos

3 colheres (sopa) de azeite

1 litro de caldo de galinha ou legumes (*pp. 24-25*) ou caldo em pó sem glúten, fermento ou laticínios

1 cebola pequena bem picada

2 dentes de alho amassados

3 alhos-porós (400 g ao todo) limpos e fatiados

6 fatias de bacon de lombo sem nitrato e sem o couro (200 g ao todo) em cubos

250 g de arroz arbóreo ou outro arroz para risoto

sal e pimenta-do-reino moída na hora

1 Preaqueça o forno a 180°C. Coloque a abóbora em uma assadeira, regue com 2 colheres (sopa) do azeite e asse por 45 minutos, até ficar tenra.

2 Após uns 15 minutos, aqueça o caldo em uma panela até quase ferver, diminua o fogo, tampe e apure.

3 Aqueça o azeite restante em uma panela de fundo grosso em fogo médio. Junte a cebola e refogue por 2-3 minutos até começar a dourar. Adicione o alho e deixe uns 30 segundos, acrescentando o alho-poró e o bacon. Abaixe o fogo e deixe mais 3-4 minutos, até o bacon fritar e o alho-poró ficar tenro.

4 Coloque o arroz, misture até ficar bem coberto de azeite, ponha uma concha do caldo quente e mexa até absorver todo o líquido. Continue pondo o caldo quente e misturando por 18-20 minutos, até o arroz ficar *al dente* e todo o líquido secar.

5 Tire a abóbora do forno e incorpore cuidadosamente ao risoto. Tempere com sal e pimenta e sirva com uma salada de folhas mistas.

tagine de cordeiro

PREPARO **10 MINUTOS** COZIMENTO **1h45**
TEMPO ADICIONAL **PREPARO DO CALDO E DO RAS EL HANOUT** RENDIMENTO **4 PORÇÕES**

125 ml de caldo de legumes (*p. 25*) ou caldo em pó sem glúten, fermento ou laticínios
¼ de colher (chá) de pistilos de açafrão
3 colheres (sopa) de azeite
650 g de carne de cordeiro magra em cubos
2 cebolas bem picadas
2 dentes de alho amassados
2 colheres (sopa) de ras el hanout (*p. 20*)
200 g de damascos secos sem açúcar nem conservantes cortados ao meio
100 g de amêndoas sem pele
3 colheres (sopa) de mel claro

1 Aqueça o caldo em uma panela até quase ferver. Retire do fogo e junte o açafrão.
2 Esquente 2 colheres (sopa) de azeite em uma panela grande de fundo grosso em fogo médio. Junte o cordeiro e refogue por 3-4 minutos, mexendo de vez em quando, até dourar ligeiramente. Retire o cordeiro com a escumadeira e transfira para uma vasilha junto com o caldo de cozimento.
3 Aqueça o azeite restante em uma panela em fogo médio. Adicione a cebola e refogue por 1-2 minutos até ficar ligeiramente tenra. Ponha o alho e depois o ras el hanout e cozinhe por 30 segundos. Coloque o cordeiro com o suco do cozimento na panela; junte os damascos, as amêndoas, o mel e o caldo.
4 Ferva, diminua o fogo, tampe e apure por 1h30, mexendo de vez em quando. Tire toda a gordura da superfície e sirva com arroz cozido no vapor e legumes.

espetinhos de cordeiro com molho de iogurte

PREPARO **10 MINUTOS, MAIS 30 MINUTOS DE MARINADA**
COZIMENTO **8-12 MINUTOS** RENDIMENTO **4 PORÇÕES**

500 g de carne de cordeiro magra em cubinhos
3 pimentões (vermelho, laranja e amarelo, ou todos da mesma cor) em pedaços grandes
4 cebolas redondinhas cortadas ao meio
200 g de champignons
200 g de tomates-cereja
150 ml de azeite

Molho:
1 romã
300 g de iogurte à base de soja
1 ½ colher (sopa) de hortelã bem picada
sal

1 Coloque o cordeiro em uma travessa grande e tempere com sal. Junte os pimentões, as cebolas, os cogumelos e os tomates e regue com o azeite. Cubra e deixe marinar no mínimo por 30 minutos. Deixe 8 espetos de madeira de molho na água, para não queimarem.

2 Preaqueça o forno em temperatura alta. Coloque o cordeiro e os legumes no espeto, intercalando os ingredientes. Leve ao forno e asse por 4-6 minutos de cada lado, até o cordeiro ficar crocante e dourado por fora, mas rosado por dentro.

3 Corte a romã ao meio, segure cada metade sobre uma vasilha e bata na casca com uma colher de pau até soltar os grãos. É preciso bater algumas vezes até os grãos começarem a soltar. Misture com o iogurte e a hortelã e tempere com sal. Sirva os espetos com o molho e arroz cozido no vapor.

estrogonofe de carne

PREPARO **5 MINUTOS** COZIMENTO **12-20 MINUTOS** RENDIMENTO **4 PORÇÕES**

25 g de creme vegetal de soja (sem lactose)
2 cebolas roxas pequenas bem picadas
1-1 ½ colher (chá) de páprica
350 g de champignons fatiados
600 g de filé de carne em tirinhas
3 colheres (sopa) de azeite
400 g de iogurte à base de soja
um punhado grande de salsa bem picada
sal e pimenta-do-reino moída na hora

1 Derreta o creme vegetal em uma panela grande de fundo grosso. Coloque a cebola e 1 colher (chá) de páprica e refogue em fogo médio por 2-3 minutos, até começar a dourar. Adicione os champignons e deixe por mais 5-7 minutos. Passe a cebola e os cogumelos para um prato.

2 Tempere a carne com sal e pimenta. Aqueça 2 colheres (sopa) do azeite na panela em fogo alto. Junte metade da carne temperada e refogue por 2-4 minutos, virando até dourar. Tire da panela com a escumadeira e reserve. Repita o processo com o azeite e a carne restantes.

3 Volte as cebolas e os cogumelos à panela. Com um míxer, bata o iogurte até ficar cremoso. Junte à mistura e aqueça em fogo brando por 1-2 minutos, tomando cuidado para não cozinhar demais, senão o iogurte talha. Ponha a carne e a salsa, e corrija o tempero adicionando mais páprica, se necessário. Sirva com arroz cozido no vapor e legumes.

espaguete com almôndegas

PREPARO **10 MINUTOS** COZIMENTO **20-25 MINUTOS**
TEMPO ADICIONAL **PREPARO DO MOLHO** RENDIMENTO **4 PORÇÕES**

3 colheres (sopa) de azeite

1 cebola bem picada

1 dente de alho amassado

600 g de carne moída

1 ovo batido

um punhado grande de salsa picada

uma receita de molho de tomate com pimentão (*p. 18*)

400 g de espaguete sem glúten ou outro macarrão sem glúten

sal e pimenta-do-reino moída na hora

1 Aqueça 1 colher (sopa) do azeite em uma frigideira grande de fundo grosso. Coloque a cebola e refogue em fogo médio por 2-3 minutos, até começar a dourar. Junte o alho e deixe por mais 30 segundos.

2 Transfira a cebola e o alho para uma vasilha grande. Junte a carne moída, o ovo, a salsa e um pouco de sal e pimenta. Misture tudo muito bem e molde 16 almôndegas com as mãos.

3 Aqueça o molho de tomate com pimentão em uma panela grande de fundo grosso em fogo brando, até quase ferver, e apure.

4 Esquente outra colher (sopa) do azeite em uma frigideira. Coloque metade das almôndegas e frite em fogo médio por 8-10 minutos, mexendo para dourar e cozinhar por igual. Retire com a escumadeira e ponha na panela com o molho de tomate e pimenta. Repita o processo com as almôndegas restantes.

5 Ferva água em uma panela grande. Adicione o azeite restante e o espaguete, mergulhando-o na água assim que amolecer. Cozinhe em fogo médio por 8-10 minutos, ou siga as instruções da embalagem, mexendo para não grudar. Escorra, enxágue com água fervente e escorra novamente. Sirva com as almôndegas ao molho de tomate com pimentão e salada de folhas mistas.

filé com aspargos ao molho holandês

PREPARO **5 MINUTOS** COZIMENTO **10-12 MINUTOS**
TEMPO ADICIONAL **PREPARO DO MOLHO** RENDIMENTO **4 PORÇÕES**

500 g de aspargos limpos

2 ½ colheres (sopa) de azeite

4 bifes de filé

uma receita de molho holandês (*p. 19*)

sal e pimenta-do-reino moída na hora

1 Preaqueça o forno a 180°C. Coloque os aspargos em uma assadeira. Salpique 1 ½ colher (sopa) do azeite e asse por 10-12 minutos até cozinhar bem.

2 Aqueça o azeite restante em uma frigideira grande de fundo grosso. Tempere os bifes com um pouco de sal e pimenta e frite em fogo médio por 3-5 minutos de cada lado para bifes malpassados ou mais 1-2 minutos se preferir bem passados. Ou então, pincele os bifes com azeite e asse em uma grelha quente.

3 Tire os aspargos do forno e sirva com os bifes, o molho holandês quente e batatinhas cozidas ou assadas.

atum com gengibre e pimenta

PREPARO **10 MINUTOS, MAIS 1 HORA DE MARINADA**
COZIMENTO **6-8 MINUTOS** RENDIMENTO **4 PORÇÕES**

4 filés de atum
1 colher (sopa) de azeite

Marinada:
2 cm de gengibre fresco bem picado
2 dentes de alho grandes bem picados
1 pimenta vermelha pequena ou ½ grande bem picada
2 colheres (sopa) bem cheias de hortelã picada
2 colheres (sopa) bem cheias de manjericão picado
um punhado de coentro bem picado
3 colheres (sopa) de azeite
1 colher (sopa) de molho de peixe tailandês
suco de 2 limões

1 Coloque o atum em uma travessa rasa não metálica. Misture todos os ingredientes da marinada e derrame sobre o atum. Tampe ou cubra com filme de PVC e deixe na geladeira no mínimo por 1 hora, de preferência mais.

2 Aqueça o azeite em uma frigideira de fundo grosso em fogo médio. Coloque o atum, despeje a marinada por cima de cada filé e o restante no fundo da panela. Cozinhe por 3-4 minutos de cada lado até ficar levemente dourado por fora, mas rosado por dentro. Sirva com o refogado de legumes (*p. 146*).

salmão com mel e gengibre

PREPARO **5 MINUTOS, MAIS 1 HORA DE MARINADA**
COZIMENTO **30-35 MINUTOS** RENDIMENTO **4 PORÇÕES**

4 filés de salmão
2,5 cm de gengibre picadinho
um maço de cebolinha bem picada
2 colheres (sopa) de molho de soja tamari
2 colheres (sopa) de mel claro

1 Coloque o salmão em um refratário grande, com a pele para baixo. Salpique o gengibre, a cebolinha, o molho de soja tamari e o mel. Cubra e deixe marinar na geladeira no mínimo por uma hora, de preferência mais.
2 Preaqueça o forno a 180°C. Leve o prato ao forno quente e deixe por 30-35 minutos, até o salmão cozinhar.
3 Tire do forno e sirva com o molho que ficou na travessa e arroz cozido no vapor ou com purê de ervas (*p. 141*) e legumes.

bolinhos de salmão

PREPARO **15 MINUTOS, MAIS 30 MINUTOS PARA ESFRIAR**
COZIMENTO **35-45 MINUTOS** RENDIMENTO **4 PORÇÕES**

500 g de filé de salmão
2 colheres (sopa) de azeite
500 g de batata descascada em cubos grandes
2 ovos grandes batidos
farinha de grão-de-bico para polvilhar
fubá ou amido de milho para polvilhar
sal e pimenta-do-reino moída na hora

1 Preaqueça o forno a 180°C. Coloque o salmão em um refratário e regue com metade do azeite. Tampe e asse por 20-25 minutos.

2 Coloque a batata em uma panela com água. Deixe em fogo alto até ferver, abaixe a temperatura, tampe e cozinhe por 15-20 minutos, até ficar tenra. Escorra, volte à panela e aqueça por 1-2 minutos para secar. Amasse grosseiramente.

3 Tire o salmão do forno, retire e descarte a pele e a parte marrom e amasse com um garfo, reservando o líquido. Misture as lascas de salmão, a batata amassada, metade dos ovos batidos, o líquido reservado e um pouco de sal e pimenta, com cuidado para não quebrar muito o peixe. Com as mãos umedecidas, separe a mistura em 8 bolas, achatando-as ligeiramente.

4 Espalhe a farinha de grão-de-bico em um prato e o fubá ou o amido de milho em outro. Passe os bolinhos na farinha de grão-de-bico, nos ovos batidos restantes, e por fim no fubá ou amido de milho, cobrindo bem. Disponha em um prato limpo, cubra com filme de PVC e deixe na geladeira no mínimo por 30 minutos.

5 Aqueça o azeite restante em uma frigideira grande de fundo grosso em fogo médio. Coloque metade dos bolinhos e frite por 4-5 minutos de cada lado, até dourarem. Mantenha aquecidos enquanto frita o restante. Sirva com legumes ou salada de folhas mistas.

enroladinhos de badejo com ervas

PREPARO **10 MINUTOS, MAIS 2 HORAS PARA ESFRIAR**
COZIMENTO **12-16 MINUTOS** RENDIMENTO **4 PORÇÕES**

600 g de filé de badejo em quatro pedaços no sentido do comprimento
um punhado grande de coentro picado
um punhado grande de salsa picada
suco de 1 limão
6 colheres (sopa) de azeite
8 fatias de presunto cru sem nitrato
sal e pimenta-do-reino moída na hora

1 Coloque o badejo em uma travessa rasa não metálica. Misture o coentro, a salsa, o suco de limão, o azeite, sal e pimenta em uma molheira. Derrame sobre o peixe, cubra e deixe na geladeira no mínimo por 2 horas.
2 Preaqueça o forno em temperatura alta. Coloque duas fatias de presunto cru, lado a lado, em uma superfície limpa. Pegue um pedaço de peixe bem coberto com as ervas da marinada e ponha sobre as fatias de presunto. Enrole com cuidado. Repita o processo com o restante do peixe e do presunto.
3 Arrume os enroladinhos de peixe na travessa e asse por 6-8 minutos de cada lado, até o peixe cozinhar. Sirva com batatinhas cozidas e legumes à moda italiana (*p. 148*).

robalo assado com purê de erva-doce

PREPARO **15 MINUTOS** COZIMENTO **1 HORA**
TEMPO ADICIONAL **PREPARO DO CALDO** RENDIMENTO **4 PORÇÕES**

3 colheres (sopa) de azeite
1 ½ cebola roxa bem picada
375 ml de vinho branco seco orgânico
½ litro de caldo de peixe (*p. 25*) ou caldo de legumes em pó sem glúten, fermento ou laticínios
12 ramos de estragão
2 robalos grandes ou 4 médios limpos
1 colher (sopa) de amido de milho
150 ml de leite de soja
30 g de tofu silken

Purê de erva-doce:
2 bulbos de erva-doce limpos fatidos no sentido do comprimento
175 ml de caldo de legumes (*p. 25*) ou conforme ao lado
sal e pimenta-do-reino moída na hora

1 Preaqueça o forno a 180°C. Aqueça 2 colheres (sopa) do azeite em uma panela grande de fundo grosso em fogo médio e refogue a cebola por 1-2 minutos até começar a dourar. Adicione o vinho, ferva, abaixe o fogo e deixe apurar por 15-20 minutos, até reduzir o líquido. Junte o caldo de peixe, volte a ferver, diminua o fogo e cozinhe por mais 20 minutos.
2 Coloque a erva-doce e o caldo de legumes em uma panela e ferva. Abaixe o fogo, tampe e apure por 10 minutos, até ficar tenra. Com um míxer, bata até formar um purê leve. Tempere com sal e pimenta e mantenha aquecido.
3 Divida oito dos ramos de estragão entre as cavidades do peixe. Disponha em um refratário, regue com o azeite restante e asse por 20-30 minutos.
4 Em uma tigela, misture 1 colher (sopa) de água com o amido de milho até formar uma pasta lisa. Junte à mistura do caldo, aumente o fogo e ferva, mexendo sempre. Abaixe o fogo e apure por 8-10 minutos, até o caldo engrossar o suficiente para cobrir o dorso de uma colher. Pique o estragão restante e junte ao molho.
5 Retire o peixe do forno e sirva acompanhado do purê de erva-doce, do molho de estragão e de batatinhas cozidas.

torta de salmão com camarão

PREPARO **10 MINUTOS** COZIMENTO **50-60 MINUTOS**
TEMPO ADICIONAL **PREPARO DO CALDO E DO MOLHO** RENDIMENTO **4 PORÇÕES**

500 g de filé de salmão
1 folha de louro
700 ml de caldo de peixe (*p. 25*) ou caldo de legumes em pó sem glúten, fermento ou laticínios
1 kg de batata descascada em pedaços grandes
4 colheres (sopa) de leite de soja
1 ovo batido
50 g de creme vegetal de soja (sem lactose)
250 g de camarão grande limpo e cozido
uma receita de molho béchamel (*p. 18*)
sal e pimenta-do-reino moída na hora

1 Coloque o salmão em uma panela grande de fundo grosso, adicione o louro e o caldo e ferva em fogo médio. Abaixe o fogo, tampe e apure por 8 minutos até cozinhar o peixe. Retire da panela com a escumadeira e deixe esfriar. Reserve o líquido do cozimento.
2 Preaqueça o forno a 200°C. Ferva a batata em uma panela grande em fogo alto, abaixe o fogo, tampe e cozinhe por 15-20 minutos até ficar tenra. Escorra, junte 4 colheres (sopa) do líquido de cozimento reservado, o leite de soja, o ovo, o creme de soja, sal e pimenta. Amasse até misturar bem e ficar macia, usando um míxer se desejar uma massa bem lisa.
3 Quando o salmão esfriar o suficiente para ser manuseado, tire a pele e qualquer parte marrom. Quebre em pedaços grandes e disponha no fundo de um refratário com capacidade para 2,5 litros. Coloque o camarão por cima e cubra com o molho béchamel.
4 Espalhe a batata amassada com uma colher, cobrindo por igual. Asse no forno preaquecido por 35-40 minutos até dourar por cima. Retire do forno e sirva com legumes.

mexilhões à marinara

PREPARO **15 MINUTOS** COZIMENTO **5-7 MINUTOS** RENDIMENTO **4 PORÇÕES**

2 kg de mexilhão fresco na concha
50 g de creme vegetal de soja (sem lactose)
2 cebolas pequenas bem picadas
1 dente de alho bem picado
250 ml de vinho branco seco orgânico
60 g de iogurte à base de soja
um punhado grande de salsa picada
sal e pimenta-do-reino moída na hora

1 Escove bem o mexilhão sob água corrente para retirar toda a sujeira, retire as cracas ou asperezas grudadas nas conchas e corte a "barba" ou o material fibroso das bordas. Enxágue novamente e despreze os abertos.

2 Derreta o creme vegetal em uma panela grande de fundo grosso em fogo médio. Adicione a cebola e refogue por 2-3 minutos, até começar a dourar. Junte o alho e deixe mais 30 segundos.

3 Coloque o mexilhão e o vinho, aumente um pouco o fogo, tampe e cozinhe por 3-4 minutos, até as conchas abrirem. Descarte as fechadas.

4 Com um batedor ou míxer, bata o iogurte até ficar cremoso. Junte o iogurte e a salsa picada ao vinho e tempere com sal e pimenta. Aqueça ligeiramente, mas cuidado para não cozinhar demais, senão o iogurte talha. Sirva com pedaços de pão (*pp. 23-24*) e salada de folhas mistas.

camarões grelhados com molho de manga

PREPARO **15 MINUTOS, MAIS 1 HORA DE MARINADA** COZIMENTO **8-11 MINUTOS** RENDIMENTO **4 PORÇÕES**

750 g de camarão grande limpo com a cauda
6 cebolinhas bem picadas
2 cm de gengibre descascado picado
2 dentes de alho bem picados
½ pimenta vermelha bem picada
um punhado grande de coentro picado
suco de 2 limões
4 colheres (sopa) de azeite
300 g de macarrão de arroz

Molho de manga:
2 mangas grandes maduras
6 talos de cebolinha picados
1 pimenta vermelha grande picada
um punhado grande de coentro picado
suco de 2 limões

1 Disponha o camarão em uma travessa rasa não metálica e salpique a cebolinha, o gengibre, o alho, a pimenta, o coentro, o suco de limão e o azeite por cima. Misture bem, tampe ou cubra com filme de PVC e deixe na geladeira no mínimo por 1 hora, de preferência mais.
2 Prepare o molho. Descasque a manga e corte a polpa em cubinhos. Coloque em uma tigela com a cebolinha, a pimenta, o coentro, o suco de limão e mexa bem.
3 Depois de marinar o camarão, preaqueça o forno em temperatura alta. Disponha-os em uma fôrma e peneire a mistura da marinada sobre a panela grande e descarte os sólidos. Junte o macarrão de arroz e coloque água fervente até cobrir. Cozinhe em fogo médio por 4-5 minutos, até ficar tenro. Escorra e mantenha aquecido.
4 Grelhe o camarão por 2-3 minutos de cada lado até ficarem rosados e firmes. Sirva com o macarrão e o molho de manga.

rolinhos de camarão com hortelã

PREPARO **45 MINUTOS** RENDIMENTO **4 PORÇÕES**

60 g de bifum

16 folhas de massa de arroz para rolinhos

um maço de hortelã sem os talos

400 g de camarão pequeno limpo e cozido

2 cenouras descascadas em palitinhos

½ pepino em palitinhos

4 talos de cebolinha sem a parte verde em tirinhas no sentido do comprimento e depois cortadas em 8

molho de soja tamari para acompanhar

1 Coloque o bifum em uma tigela grande, cubra com água fervente e deixe por 5-6 minutos, até amolecer. Enxágue bem sob água corrente e escorra.

2 Encha a tigela com mais água fervente e mergulhe uma folha de massa de arroz. Deixe por 30 segundos, até amolecer. Dobre um pano de prato limpo e úmido ao meio, retire a folha com cuidado e coloque sobre o pano.

3 Coloque 3-5 folhas de hortelã, dependendo do tamanho, na horizontal sobre o papel, ligeiramente deslocadas do centro em sua direção, deixando espaço nas laterais. Coloque 3-4 camarões por cima, em seguida 3-4 palitinhos de cenoura e 3-4 palitinhos de pepino. Acrescente um pouco de cebolinha e cubra com um pouco do bifum.

4 Dobre a lateral da massa de arroz mais próxima a você sobre o recheio de legumes e camarão, deixe bem firme, depois dobre as pontas. Enrole fechando bem. Reserve em um prato e cubra com um pano úmido enquanto prepara os outros rolinhos. Repita o processo com o resto da massa e dos recheios, repondo a água fervente sempre que necessário. Sirva os rolinhos com molho de soja tamari.

torres coloridas

PREPARO **10-15 MINUTOS** COZIMENTO **10-15 MINUTOS**
TEMPO ADICIONAL **PREPARO DA POLENTA** RENDIMENTO **4 PORÇÕES**

4 colheres (sopa) de azeite
4 cogumelos shitake grandes (cerca de 400 g no total) sem o talo
3 dentes grandes de alho bem picados
400 g de champignons em quartos
400 g de espinafre tenro
300 g de iogurte à base de soja
4 ovos grandes
uma receita de polenta rápida (*p. 143*) feita na hora grelhada ou frita
sal e pimenta-do-reino moída na hora

1 Aqueça 1 colher (sopa) do azeite em uma panela grande de fundo grosso em fogo médio. Adicione os shitakes com o chapéu para cima e cozinhe por 3-4 minutos. Tire da panela e mantenha aquecidos.

2 Limpe a panela e aqueça o azeite restante em fogo médio. Ponha o alho e refogue por 30 segundos. Junte os champignons e cozinhe por 4-5 minutos, mexendo sempre. Ponha o espinafre, mexa e cozinhe por 2-3 minutos, até murchar e o líquido evaporar um pouco. Com um batedor ou míxer, bata o iogurte até amolecer. Retire os legumes do fogo, deite o iogurte na panela e mexa com cuidado. Adicione sal e pimenta, e tampe para manter a mistura aquecida.

3 Ferva água em uma panela grande, depois diminua o fogo. Misture bem a água, quebre os ovos em um copo, um por vez, observe se a água ainda está girando e deixe-os cair delicadamente dentro da panela. Cozinhe por 3-4 minutos, até a clara ficar firme, mas a gema ainda mole.

4 Disponha uma fatia da polenta em cada prato com um shitake por cima. Ponha uma colherada da mistura quente de espinafre e cogumelos sobre os shitakes e ajeite o restante ao redor, sobre a polenta. Retire os ovos da panela com a escumadeira, coloque por cima de cada montinho e sirva.

cozido de grão-de-bico com tomate

PREPARO **10 MINUTOS, MAIS UMA NOITE DE DEMOLHA**
COZIMENTO **1H30-2H** RENDIMENTO **4 PORÇÕES**

300 g de grão-de-bico seco

1 kg de tomates bem maduros

2 colheres (sopa) de azeite

1 cebola bem picada

2 dentes grandes de alho amassados

½ colher (chá) de páprica doce defumada

¼ de colher (chá) de páprica

½ colher (chá) de pimenta-calabresa em flocos

200 g de iogurte à base de soja

300 g de espinafre tenro

sal e pimenta-do-reino moída na hora

1. Deixe o grão-de-bico de molho durante a noite.
2. No dia seguinte, escorra e enxágue bem. Coloque em uma panela grande, cubra com água fria e ferva por 10 minutos; abaixe o fogo, tampe e cozinhe por 1-1h30, até ficar tenro. Escorra bem.
3. Com uma faca, faça uma cruz na casca de cada tomate, coloque em uma tigela refratária e cubra com água fervente. Deixe por 2-3 minutos e escorra. Tire a pele e corte-os em 8 pedaços.
4. Aqueça o azeite em uma panela grande de fundo grosso em fogo baixo. Junte a cebola e refogue por 2-3 minutos, até dourar. Ponha o alho, as páprica, a pimenta em flocos e cozinhe por 1-2 minutos, mexendo sempre. Adicione os tomates, aumente levemente o fogo e cozinhe por 5 minutos, amassando os pedaços de tomate com a colher de pau. Por fim, junte o grão-de-bico e cozinhe por 10-12 minutos, até reduzir o molho quase à metade.
5. Com um batedor ou míxer, bata o iogurte até ficar uniforme. Junte-o à mistura, abaixe o fogo e apure por mais 10 minutos, mexendo de vez em quando até o grão-de-bico amolecer. Tempere com sal e pimenta, coloque o espinafre e cozinhe por cerca de 1 minuto, até murchar e ficar bem incorporado. Sirva com arroz cozido no vapor.

macarrão à putanesca

PREPARO **10 MINUTOS** COZIMENTO **20-25 MINUTOS** RENDIMENTO **4 PORÇÕES**

1 kg de tomates bem maduros
3 colheres (sopa) de azeite
4 dentes de alho bem picados
20 alici em conserva escorridas e picadas (opcional)
4 colheres (sopa) de alcaparras
2 pimentas vermelhas bem picadas
2 punhados de salsa picada
400 g de espaguete ou outra massa sem glúten
sal e pimenta-do-reino moída na hora

1. Faça uma cruz na pele dos tomates, coloque em uma tigela com água fervente e deixe por 2-3 minutos. Tire os tomates da água e retire a pele. Corte-os em oito.
2. Aqueça 2 colheres (sopa) do azeite em uma panela de fundo grosso. Adicione o alho, o alici, se utilizar, e refogue em fogo baixo por 1 minuto. Junte os tomates, ferva, abaixe o fogo e apure por 15-20 minutos até o molho reduzir.
3. Coloque as alcaparras e as pimentas no molho e cozinhe em fogo baixo por 4-5 minutos. Adicione a salsa picada, um pouco de sal e pimenta e cozinhe por 1 minuto.
4. Ponha água para ferver em uma panela grande. Junte o restante do azeite e a massa. Cozinhe em fogo médio por 8-10 minutos, ou siga as instruções da embalagem, mexendo sempre para a massa não grudar. Escorra, enxágue bem com água fervente e escorra de novo. Sirva com o molho e uma salada de folhas mistas.

macarrão primavera

PREPARO **12-15 MINUTOS** COZIMENTO **11-14 MINUTOS**
TEMPO ADICIONAL **PREPARO DO MOLHO** RENDIMENTO **4 PORÇÕES**

250 g de ervilhas frescas
400 g de aspargos limpos cortados em três
200 g de vagem limpa cortada ao meio
2 colheres (sopa) de azeite
400 g de macarrão sem glúten
450 g de iogurte à base de soja
5 colheres (sopa) de vinho branco seco orgânico
5 colheres (sopa) de caldo de legumes (*p. 25*) ou caldo em pó sem glúten, fermento ou laticínios
1 cebola bem picada
2 dentes de alho amassados
75 g de rúcula cortada grosseiramente
1 ½ colher (sopa) de hortelã picada
1 ½ colher (sopa) de salsa picada
sal e pimenta-do-reino moída na hora

1 Coloque as ervilhas, os aspargos e a vagem em uma panela a vapor e deixe em fogo médio por 3-4 minutos, até ficarem tenros mas ligeiramente crocantes. Escorra.
2 Ferva água em uma panela grande. Ponha 1 colher (sopa) do azeite e o macarrão. Cozinhe em fogo médio por 8-10 minutos, ou siga as instruções da embalagem, mexendo sempre para não grudar.
3 Coloque o iogurte em uma tigela e, com um batedor ou míxer, bata até ficar cremoso. Adicione o vinho e o caldo e misture. Tempere com sal e pimenta.
4 Aqueça o azeite restante em uma panela grande de fundo grosso. Refogue a cebola em fogo médio por 2-3 minutos, até começar a dourar. Junte o alho, derrame a mistura de iogurte, abaixe o fogo e cozinhe por 1 minuto em fogo brando. Adicione os legumes cozidos, a rúcula, a hortelã e a salsa, e cozinhe por 1 minuto para aquecer, tomando cuidado para não cozinhar demais, senão o iogurte talha.
5 Escorra o macarrão, enxágue com água fervente e escorra novamente. Sirva com o molho e salada de folhas mistas.

tortinhas de legumes

PREPARO **20 MINUTOS** COZIMENTO **65-75 MINUTOS**
TEMPO ADICIONAL **PREPARO DA MASSA** RENDIMENTO **4 OU 6 PORÇÕES**

3 pimentões (vermelho, laranja ou amarelo ou todos da mesma cor) em quartos
3 colheres (sopa) de azeite
3 tomates grandes bem maduros cortados em 8
1 cebola cortada em 16 pedaços
creme vegetal de soja (sem lactose) para untar
uma receita qualquer de massa para torta ou a versão sem glúten (*p. 21*)
farinha de arroz para polvilhar
2 ovos grandes mais 6 gemas batidos
4 colheres (sopa) de leite de soja
sal e pimenta-do-reino moída na hora

1 Preaqueça o forno a 180°C. Disponha os pimentões com a casca para cima, os tomates e a cebola em duas assadeiras e regue com o azeite. Leve ao forno e asse por 20-25 minutos. Retire os tomates e a cebola, deixando os pimentões por mais 10 minutos, até a pele chamuscar.

2 Após esfriar, feche-os em um saco plástico e deixe por 2-3 minutos. Tire do saco e descasque. Aumente a temperatura do forno para 200°C. Unte fôrmas de pudim pequenas (ou fôrmas de 6 cm x 12 cm e 2 cm de profundidade) com o creme vegetal.

3 Abra delicadamente a massa em uma superfície bem polvilhada com farinha de arroz, até ficar com 2 mm de espessura. Com um cortador de diâmetro um pouco maior que as forminhas, para cobrir as laterais, corte seis ou quatro discos de massa e descarte o excesso. Tenha cuidado, pois a massa é um pouco grudenta.

4 Coloque um disco de massa em cada forminha (pode ser preciso uma espátula de metal) e pressione levemente para tirar o ar. Forre-as com papel-alumínio e encha com grãos de feijão. Coloque em uma assadeira. Asse no forno preaquecido por 8-10 minutos até ficarem firmes e levemente douradas. Retire do forno e descarte o papel-alumínio e o feijão. Abaixe a temperatura para 180°C.

5 Reparta a cebola assada entre as forminhas, cubra com 4 pedaços de tomate e 2 de pimentão. Bata os ovos inteiros, as gemas e o leite de soja em uma vasilha com sal e pimenta. Derrame a mistura sobre os legumes.

6 Asse no forno preaquecido por 25-30 minutos até o recheio cozinhar. Retire, deixe esfriar, transfira cuidadosamente para um prato e sirva com legumes ou salada de folhas mistas.

acompanhamento

Complemente os pratos com os deliciosos acompanhamentos destas páginas. O purê cremoso de batata com ervas ou azeite fica ótimo com pratos como o salmão ao mel e gengibre, por exemplo, enquanto o sabor da batata com funghi complementa muito bem o confit de pato. Depois temos a polenta rápida, que pode ser preparada em poucos minutos e servida junto com o saboroso frango ao molho verde. Os legumes podem propiciar uma refeição espetacular – a combinação do refogado de legumes com o atum, gengibre e pimenta, por exemplo, dá variedade e um toque especial à refeição, ao passo que a adição dos legumes à italiana e os enroladinhos de badejo com ervas trazem uma diversidade de sabores e texturas. Portanto, prefira produtos orgânicos e invista em um bom descascador!

purê de ervas

PREPARO **5 MINUTOS** COZIMENTO **15-20 MINUTOS** RENDIMENTO **4 PORÇÕES**

800 g de batata descascada em pedaços grandes
80 g de creme vegetal de soja (sem lactose) em cubos
150 ml de leite de soja
um maço de salsa ou coentro
sal e pimenta-do-reino moída na hora

1 Coloque a batata em uma panela e cubra com água fria. Ferva em fogo alto, abaixe o fogo, tampe e cozinhe por mais 15-20 minutos, até ficar tenra. Escorra e amasse bem. Para um purê bem macio, use a batedeira portátil.
2 Junte o creme vegetal com o leite e a salsa ou o coentro picado, tempere com sal e pimenta e sirva.

VARIAÇÃO

Para fazer purê de ervas com azeite, siga as instruções acima, substituindo o creme vegetal por 3 colheres (sopa) de azeite.

batata com funghi

PREPARO **10 MINUTOS, MAIS 30 MINUTOS DE MOLHO**
COZIMENTO **1H15-1H30** RENDIMENTO **4 PORÇÕES**

100 g de funghi secos ou cogumelos silvestres secos
creme vegetal de soja (sem lactose) para untar
900 g de batata descascada em fatias finas
4 colheres (sopa) de azeite
sal e pimenta-do-reino moída na hora

1 Coloque os cogumelos em uma tigela, cubra com água fervente e deixe de molho por 30 minutos.
2 Preaqueça o forno a 180°C. Unte um refratário grande com creme vegetal de soja (sem lactose). Escorra os cogumelos, reservando 150 ml do líquido.
3 Forre o fundo do refratário com a batata fatiada. Cubra com uma camada de cogumelos e tempere com sal e pimenta. Repita as camadas até usar toda a batata e os cogumelos, terminando com uma camada de batata. Derrame o líquido reservado e regue com o azeite.
4 Cubra com uma tampa ou papel-alumínio, dobre as pontas sob a travessa e asse no forno preaquecido por 45 minutos. Tire o papel e leve ao forno de novo por 30-45 minutos, até a batata ficar macia, dourada e crocante. Tire do forno e sirva.

polenta rápida

PREPARO **10 MINUTOS** COZIMENTO **5-16 MINUTOS** RENDIMENTO **4 PORÇÕES**

225 g de polenta instantânea
½ colher (chá) de pimenta-calabresa em flocos (opcional)
5-6 colheres (sopa) de azeite
sal e pimenta-do-reino moída na hora

1 Coloque 1 litro de água em uma panela grande de fundo grosso e ferva. Abaixe o fogo, adicione a polenta aos poucos, mexendo sempre, e a pimenta em flocos, se desejar. Cozinhe em fogo brando por 5-6 minutos, mexendo de vez em quando até engrossar. Junte 5 colheres (sopa) do azeite, mexa e tire do fogo. Tempere com sal e pimenta e sirva, ou coloque a mistura em uma assadeira, deixando uma camada lisa, e reserve por 5-10 minutos até endurecer.

2 Corte a polenta da assadeira em quatro pedaços grandes e leve ao forno em fogo alto por 2-3 minutos de cada lado até dourar, ou frite com 1 colher (sopa) de azeite em uma frigideira de fundo grosso em fogo médio por 4-5 minutos de cada lado e sirva.

legumes ao forno

PREPARO **15 MINUTOS** COZIMENTO **1H30** RENDIMENTO **4 PORÇÕES**

4 batatas-doces grandes em quartos
1 abóbora grande descascada cortada do tamanho das batatas-doces
12 cenouras grandes cortadas em palitos
6 colheres (sopa) de azeite
2 dentes de alho bem picados
1 pimenta vermelha grande bem picada (opcional)

1 Preaqueça o forno a 180°C.
2 Coloque todos os legumes em uma assadeira grande. Regue com o azeite e misture para incorporá-lo; salpique o alho e a pimenta, se for usar.
3 Asse no forno preaquecido por 1h30, virando a cada 30 minutos, até ficarem crocantes e dourados. Retire do forno e sirva.

refogado de legumes

PREPARO **10 MINUTOS** COZIMENTO **4-6 MINUTOS** RENDIMENTO **4 PORÇÕES**

2 colheres (sopa) de azeite
1 maço de cebolinha em fatias finas
2 cm de gengibre fresco picado
½ pimenta vermelha grande sem pele picada
um talo de capim-limão bem picado
2 dentes grandes de alho bem picados
250 g de vagem em pedaços de 5 cm
200 g de ervilha-torta
300 g de acelga cortada em fatias (talo e folhas separadas)
2 colheres (sopa) de molho de soja tamari
1 colher (sopa) de hortelã picada
1 colher (sopa) de manjericão picado
um punhado grande de coentro picado

1 Aqueça uma wok grande em fogo médio. Ponha o azeite e espalhe. Junte a cebolinha, o gengibre, a pimenta, o capim-limão, o alho e refogue por 30 segundos. Adicione a vagem e deixe mais 1 minuto.

2 Coloque a ervilha-torta e a parte branca da acelga. Ponha o tamari e 4 colheres (sopa) de água. Mexa bem e cozinhe por 1-2 minutos. Adicione as folhas da acelga e cozinhe por 1-2 minutos, até todos os legumes ficarem cozidos mas levemente crocantes.

3 Retire do fogo, junte as ervas bem picadas e sirva.

repolho-roxo com maçã

PREPARO **10 MINUTOS** COZIMENTO **2H30** RENDIMENTO **4 PORÇÕES**

20 g de creme vegetal de soja (sem lactose) e mais um pouco para untar
1 repolho-roxo de 750 g cortado ao meio, sem o miolo, e as folhas cortadas em quadrados
400 g de maçã descascada em cubos
1 cebola bem picada
1 dente de alho bem picado
1 colher (chá) de pimenta-da-jamaica em pó
3 colheres (sopa) de melado ou mel claro
2 colheres (sopa) de vinagre de vinho branco
sal e pimenta-do-reino moída na hora

1 Preaqueça o forno a 150°C. Unte um refratário grande com o creme vegetal de soja.
2 Disponha ⅓ do repolho no fundo da travessa untada. Cubra com ⅓ da maçã e ⅓ da cebola picada. Salpique um pouco do alho picado, ⅓ da pimenta-da-jamaica, 1 colher (sopa) de melado ou mel, sal e pimenta-do-reino. Faça mais duas camadas.
3 Borrife o vinagre sobre os ingredientes e espalhe os pedacinhos de creme vegetal. Tampe e asse no forno aquecido por 2h30, mexendo a cada 30 minutos, até o repolho ficar tenro. Tire do forno e sirva.

legumes à italiana

PREPARO **10 MINUTOS** COZIMENTO **20-25 MINUTOS**
TEMPO ADICIONAL **PREPARO DO CALDO** RENDIMENTO **4 PORÇÕES**

2 bulbos de erva-doce

3 colheres (sopa) de azeite

3 dentes de alho bem picados

200 g de couve sem o talo duro com as folhas picadas

250 ml de caldo de galinha ou de legumes (*pp. 24-25*) ou caldo de legumes em pó sem glúten, fermento ou laticínios

150 g de bacon sem nitrato em cubos

200 g de acelga vermelha ou folhas de beterraba

300 g de espinafre tenro

um punhado grande de salsa

sal e pimenta-do-reino moída na hora

1 Tire e descarte as folhas da parte de cima da erva-doce e as folhas externas. Corte cada bulbo ao meio pelo comprimento e depois corte cada metade em quatro.
2 Aqueça 2 colheres (sopa) do azeite em uma panela de fundo grosso em fogo médio. Coloque a erva-doce, tampe e refogue, mexendo de vez em quando, por 5-6 minutos, até começar a dourar. Adicione o alho e deixe mais 30 segundos, junte a couve e cozinhe por 3 minutos com a panela tampada.
3 Acrescente o caldo, aumente o fogo e ferva. Deixe sem tampa, abaixe o fogo e apure por 10-12 minutos, até quase todo o líquido evaporar e os legumes ficarem tenros.
4 Aqueça o azeite restante em uma frigideira de fundo grosso. Junte o bacon e frite por 4-5 minutos até ficar crocante. Escorra em papel-toalha.
5 Coloque a acelga e o espinafre na panela com os legumes e, pressionando de leve as folhas com uma colher de pau, cozinhe por 2-3 minutos até murcharem. Tire do fogo, junte a salsa picada e um pouco de sal e pimenta. Adicione o bacon crocante e sirva, usando uma escumadeira para tirar os legumes.

sobremesa

Cremosa, crocante, leve, refrescante, de fruta ou de chocolate – qualquer que seja o tipo de sobremesa que procura, você vai encontrar aqui. Escolha dentre uma profusão de bolos e tortas, incluindo a torta de chocolate, o suflê de framboesa, ou a rápida delícia de manga com pistache. Temos também as prediletas da família, como o pudim de arroz com coco, os saudáveis espetinhos de frutas com calda de framboesa, e pratos absolutamente divinos, como o bolo de amêndoas com calda de maracujá ou o fondue de chocolate com frutas. As sobremesas explodem em aromas, cores, texturas e sabores e, em geral, são mais fáceis de fazer do que parece. Então, mãos à obra!

bolo de chocolate sem farinha

PREPARO **10 MINUTOS** COZIMENTO **25-30 MINUTOS** RENDIMENTO **10 PORÇÕES**

110 g de creme vegetal de soja (sem lactose) e mais um pouco para untar
225 g de chocolate amargo sem derivados lácteos e ao menos 70% de cacau
6 ovos separados (clara e gema)
125 g de adoçante de frutose

Cobertura:
150 g de chocolate amargo sem derivados lácteos (70% de cacau)
150 g de purê de castanhas
30 g de adoçante de frutose
30 g de creme vegetal de soja (sem lactose)

1 Preaqueça o forno a 180°C. Unte uma fôrma de bolo funda de 20 cm com o creme vegetal e forre o fundo com papel-manteiga.
2 Quebre o chocolate em pedacinhos e ponha em uma tigela grande refratária sobre uma panela com água em fogo baixo, sem deixar o fundo tocar a água. Mexa de vez em quando até o chocolate derreter. Junte o creme vegetal e continue mexendo até derreter e incorporar ao chocolate. Retire do fogo.
3 Bata as claras em neve. Junte o adoçante e continue batendo até obter picos firmes.
4 Bata ligeiramente as gemas em outra tigela e junte à mistura de chocolate derretido, mexendo até homogeneizar. Com uma colher grande de metal, misture delicadamente com as claras em neve.
5 Ponha a mistura na fôrma untada e asse no forno preaquecido por 25-30 minutos, até crescer e assar nas bordas, mas ainda estiver mole no meio. Espete um palito no centro do bolo; se sair só um pouco de massa grudada, está pronto. Tire e deixe a fôrma esfriar por 5 minutos, transfira para a pia e espere esfriar completamente.
6 Prepare a cobertura. Derreta o chocolate como no passo 2, em banho-maria. Adicione o purê de castanha e o adoçante e misture bem; depois o creme vegetal e incorpore tudo. Tire do fogo, deixe esfriar e sirva com fatias do bolo.

bolo de amêndoas com calda de maracujá

PREPARO **10 MINUTOS** COZIMENTO **20-25 MINUTOS** RENDIMENTO **6 PORÇÕES**

creme vegetal de soja (sem lactose) para untar

4 ovos inteiros mais 6 gemas

½ colher (chá) de canela em pó

100 g de adoçante de frutose

250 g de amêndoas moídas

100 ml de suco de maçã ou manga

Calda de maracujá:

10 maracujás

125 ml de suco de maçã ou manga

6 colheres (sopa) de adoçante de frutose

1. Preaqueça o forno a 180°C. Unte uma fôrma funda de bolo de 20 cm com o creme vegetal e forre o fundo com papel-manteiga.
2. Coloque os ovos e as gemas em uma tigela grande com a canela e o adoçante. Bata na batedeira até ficar espesso, cremoso e dobrar de volume. Ao levantar as hélices, deve ficar uma marca na massa. Misture delicadamente a amêndoa moída com uma colher de metal e junte o suco de maçã ou manga, até misturar bem.
3. Ponha a mistura na fôrma untada e asse no forno preaquecido por 20-25 minutos, até crescer e dourar e, ao espetar um palito no centro, este saia limpo. Tire do forno e deixe esfriar um pouco.
4. Prepare a calda de maracujá. Corte os maracujás ao meio, ponha as sementes e a polpa em uma panela de fundo grosso. Junte o suco de fruta e o adoçante. Ferva, abaixe o fogo e apure por 20 minutos até o líquido reduzir à metade. Deixe esfriar um pouco.
5. Espalhe a calda quente de maracujá por cima do bolo ainda morno e sirva.

torta de amora

PREPARO **15 MINUTOS** COZIMENTO **35-45 MINUTOS**
TEMPO ADICIONAL **PREPARO DA MASSA** RENDIMENTO **6-8 PORÇÕES**

80 g de creme vegetal de soja (sem lactose) e mais um pouco para untar
uma receita de massa podre para doces (*p. 22*)
farinha de arroz para polvilhar
50 g de tofu silken
4 colheres (sopa) de leite de soja
50 g de adoçante de frutose
1 colher (chá) de essência de baunilha
4 gemas
350 g de amoras

1 Preaqueça o forno a 200°C. Unte uma fôrma para torta de 25 cm e 3 cm de altura com o creme vegetal.

2 Abra a massa em uma tábua generosamente polvilhada com a farinha de arroz em um círculo 3 cm maior que a fôrma, para forrar os lados, e com 2 mm de espessura. Cuidado, pois a massa é um pouco grudenta. Ponha a fôrma com a abertura sobre a massa, acerte a beirada e vire a tábua para a massa cair dentro da fôrma. Ajuste a massa, apertando delicadamente para tirar o ar.

3 Forre a massa com papel-manteiga e encha com feijão. Asse no forno preaquecido por 10-12 minutos, até dourar. Tire do forno e descarte o papel e o feijão. Diminua a temperatura do forno para 180°C.

4 Prepare o recheio. Bata o tofu com o leite de soja no liquidificador até ficar uniforme. Em uma tigela, misture o creme vegetal com o adoçante usando um míxer, até ficar leve e fofo. Junte a baunilha e as gemas, adicione a mistura de tofu e leite de soja e bata até ficar homogêneo.

5 Disponha as amoras no fundo da massa e derrame o recheio por cima, com cuidado. Asse no forno preaquecido por 25-30 minutos até dourar. Tire do forno e deixe esfriar até o recheio endurecer, então transfira com cuidado para um prato e sirva.

tarte tatin

PREPARO **10 MINUTOS** COZIMENTO **40-55 MINUTOS**
TEMPO ADICIONAL **PREPARO DA MASSA** RENDIMENTO **6 PORÇÕES**

75 g de creme vegetal de soja (sem lactose)
100 g de adoçante de frutose
7 maçãs descascadas cortadas ao meio
uma receita de massa para tarte tatin (*p. 22*)
farinha de arroz para polvilhar

1 Derreta o creme vegetal em fogo baixo em uma frigideira de fundo grosso de 20 cm com cabo resistente ao calor. Polvilhe o adoçante e disponha as maçãs, com o lado cortado para baixo, em camada simples.
2 Cozinhe em fogo brando por 20-30 minutos, até a maçã ficar tenra e dourada e o líquido caramelizar. Tire do fogo.
3 Preaqueça o forno a 220°C. Abra a massa em uma superfície bem polvilhada com farinha de arroz, fazendo um círculo um pouco maior que a frigideira. Cuidado, pois a massa fica um pouco grudenta. Corte-a com uma faca. Levante com cuidado com uma espátula de metal e coloque por cima da panela, cobrindo completamente as maçãs.
4 Leve a panela ao forno aquecido por 20-25 minutos, até a massa dourar. Tire do forno e deixe esfriar por 2 minutos. Coloque um prato de cabeça para baixo sobre a panela e vire: a tarte tatin ficará no prato com as maçãs caramelizadas por cima. Sirva.

torta de chocolate

PREPARO **10 MINUTOS** COZIMENTO **30-35 MINUTOS**
TEMPO ADICIONAL **PREPARO DA MASSA** RENDIMENTO **6-8 PORÇÕES**

60 g de creme vegetal de soja (sem lactose) e mais um pouco para untar
uma receita de massa podre para doces (*p. 22*)
farinha de arroz para polvilhar
200 g de chocolate amargo sem derivados lácteos com ao menos 70% de cacau
50 g de tofu silken
80 ml de leite de soja
4 gemas
3 colheres (sopa) de adoçante de frutose

1. Preaqueça o forno a 200°C. Unte uma fôrma de 25 cm e 3 cm de altura com o creme vegetal de soja.
2. Abra a massa em uma tábua polvilhada com bastante farinha de arroz em um círculo 3 cm maior que a fôrma, para cobrir as laterais, e 2 mm de espessura. Cuidado, pois a massa é um pouco grudenta. Coloque a fôrma com a abertura para baixo sobre a massa, corte ao redor e vire a tábua, para a massa encaixar na fôrma. Ajeite com cuidado, pressionando um pouco para tirar o ar.
3. Forre a massa com papel-manteiga e encha com feijão. Asse no forno aquecido por 10-12 minutos, até dourar. Tire do forno, retire o papel e o feijão e abaixe a temperatura do forno para 180°C.
4. Prepare o recheio: quebre o chocolate em pedaços, coloque em uma tigela refratária e leve ao banho-maria em fogo baixo. O fundo da tigela não deve encostar na água. Mexa de vez em quando até o chocolate derreter. Retire do fogo, junte o creme vegetal e mexa até dissolver. Bata o tofu e o leite de soja no liquidificador até ficar uniforme.
5. Em uma tigela grande, bata as gemas, adicione o adoçante e bata de novo até a massa ficar espessa e cremosa. Acrescente a mistura de tofu e leite de soja e continue o processo até espumar; junte o chocolate e o creme vegetal derretido e misture bem.
6. Derrame o recheio na massa de torta. Asse em forno alto por 20-22 minutos, até o recheio ficar resistente ao toque. Retire do forno e deixe esfriar até endurecer. Transfira para um prato e sirva.

pudim de arroz com coco

PREPARO **5 MINUTOS** COZIMENTO **2 HORAS** RENDIMENTO **4 PORÇÕES**

creme vegetal de soja (sem lactose) para untar
200 ml de leite de soja
800 ml de leite de coco
100 g de arroz
40 g de adoçante de frutose
3 anises-estrelados

1 Preaqueça o forno a 150°C. Unte um refratário de 2,5 litros com o creme vegetal. Misture o leite de soja e o leite de coco em uma jarra.

2 Ponha o arroz no prato untado e misture o adoçante. Junte o anis-estrelado, derrame a mistura de leite e mexa bem. Asse em forno médio por 2 horas, misturando a cada 30 minutos.

3 Retire o pudim do forno. Com uma colher grande de metal, tire e descarte a camada de gordura de coco que se forma na superfície, e retire o anis-estrelado antes de servir.

suflê de framboesa

PREPARO **10 MINUTOS** COZIMENTO **12-17 MINUTOS** RENDIMENTO **6 PORÇÕES**

creme vegetal de soja (sem lactose) para untar
5 claras
100 g de adoçante de frutose
300 g de framboesas (ou amoras)
2 gotas de água de rosas
1 colher (chá) de amido de milho

1. Preaqueça o forno a 180°C. Unte seis forminhas grandes (com capacidade para 350 ml, ou uma fôrma para suflê com capacidade para 2 litros) com o creme vegetal.
2. Bata as claras em neve. Acrescente metade do adoçante e continue batendo até formar picos firmes.
3. Coloque as framboesas e o restante do adoçante em uma panela de fundo grosso pequena e aqueça em fogo baixo por 4-5 minutos, até a fruta ficar tenra. Junte a água de rosas e coe em uma peneira não metálica sobre uma tigela grande. Dissolva o amido de milho em 1 colher (chá) de água e adicione batendo à mistura de framboesa peneirada.
4. Junte ⅓ das claras em neve às framboesas e bata até incorporar bem. Com uma colher de metal, misture o restante das claras com cuidado, até agregar tudo.
5. Ponha nas forminhas untadas ou na fôrma de suflê e asse no forno preaquecido por 5-12 minutos, dependendo do recipiente, até dourar levemente e crescer bem. Retire do forno e sirva imediatamente.

torta de damasco

PREPARO **10 MINUTOS** COZIMENTO **65-70 MINUTOS** RENDIMENTO **4 PORÇÕES**

creme vegetal de soja (sem lactose) para untar
800 g de damascos maduros cortados ao meio
3 colheres (sopa) de mel claro
4 ovos
100 g de adoçante de frutose
25 g de farinha de arroz
25 g de farinha de grão-de-bico
500 ml de leite de soja

1 Preaqueça o forno a 180°C. Unte um refratário com capacidade para 2,5 litros com o creme vegetal de soja.

2 Ponha os damascos em uma assadeira com a parte cortada para cima. Derrame o mel no centro oco dos damascos e asse por 30 minutos.

3 Com um míxer, bata os ovos com o adoçante em uma tigela até formar uma massa espessa e cremosa. Junte as farinhas e, com uma colher de metal, misture cuidadosamente ao creme de ovos. Adicione o leite de soja e leve à geladeira enquanto o damasco está no forno.

4 Retire o damasco do forno e eleve a temperatura para 190°C. Transfira para o refratário e derrame o mel que ficou na assadeira. Cubra com a massa e asse no forno preaquecido por 35-40 minutos, até crescer bem e ficar com uma crosta dourada. Tire do forno e sirva.

figos assados com iogurte e pinholes

PREPARO **5 MINUTOS** COZIMENTO **30-35 MINUTOS** RENDIMENTO **4 PORÇÕES**

12 figos maduros

3 colheres (sopa) de mel claro

80 g de pinholes

200 g de iogurte à base de soja

1 Preaqueça o forno a 180°C. Arrume os figos em um refratário e coloque o mel em cima. Asse no forno aquecido por 30-35 minutos até a fruta ficar tenra e o líquido evaporar.

2 Aqueça uma frigideira de fundo grosso em fogo médio. Ponha os pinholes e toste, mexendo sempre, até começarem a dourar. Transfira para uma tigela.

3 Quando os figos estiverem cozidos, tire do forno e sirva cobertos com iogurte e os pinholes tostados.

pêssegos recheados

PREPARO **10 MINUTOS** COZIMENTO **30-35 MINUTOS** RENDIMENTO **4 PORÇÕES**

creme vegetal de soja (sem lactose) para untar

50 g de amêndoas moídas

1 colher (sopa) de melado ou mel

½ colher (chá) de essência de baunilha

4 pêssegos maduros grandes cortados ao meio

185 ml de vinho de sobremesa orgânico

1 Preaqueça o forno a 180°C. Unte uma assadeira grande com o creme vegetal.
2 Em uma tigela, junte as amêndoas moídas, o melado ou mel e a baunilha e amasse com a mão até misturar bem. Com uma colher (de chá), cave um pequeno buraco na polpa de cada metade, aumentando a cavidade deixada pelo caroço. Pique bem a polpa e junte à mistura de amêndoas. Adicione 125 ml do vinho e misture bem.
3 Coloque 2 colheres (chá) da massa de amêndoas no centro de cada pêssego. Disponha-os com a parte cortada para cima na assadeira untada e asse no forno preaquecido por 30-35 minutos, até dourarem.
4 Tire do forno. Arrume duas metades recheadas em cada prato, regue com 1 colher (sopa) de vinho e sirva.

morangos assados com creme de amora

PREPARO **10 MINUTOS** COZIMENTO **20-25 MINUTOS** RENDIMENTO **4 PORÇÕES**

800 g de morangos limpos
½ litro de leite de soja
1 colher (sopa) de amido de milho
5 gemas grandes
125 g de adoçante de frutose
½ colher (chá) de essência de baunilha
350 g de amoras

1. Preaqueça o forno a 170°C. Coloque os morangos em uma assadeira forrada com papel--manteiga, una as laterais como se fosse fazer um pacote e enfie as pontas por baixo. Asse no forno preaquecido por 20-25 minutos, até a fruta começar a amolecer, mas ainda conservar o formato.
2. Aqueça o leite de soja em uma panela de fundo grosso em fogo baixo até quase ferver. Em uma tigelinha, misture bem o amido de milho com 1 colher (sopa) de água. Bata as gemas, 40 g do adoçante e a pasta de amido em uma tigela grande, até engrossar. Junte o leite quente e mexa até agregar bem.
3. Coloque a mistura em uma panela limpa com a baunilha e cozinhe em fogo baixo por 10-15 minutos, mexendo sempre, até formar um creme espesso. Cuidado para não aquecer demais, pois pode talhar; se isso acontecer, use um batedor ou míxer.
4. Enquanto cozinha o creme, coloque a amora em uma panela de fundo grosso com 1 colher (sopa) de água, ferva, abaixe o fogo e cozinhe por 5-10 minutos até ficar tenra, amassando com uma colher de pau. Bata com um míxer para fazer um purê, ou use o liquidificador ou processador. Coloque em uma tigela limpa.
5. Quando o creme ficar pronto, junte ao purê de fruta com o restante do adoçante. Tire os morangos do forno e sirva com o creme de amora.

espetinhos de frutas com calda de framboesa

PREPARO **10 MINUTOS** COZIMENTO **12-15 MINUTOS** RENDIMENTO **4 PORÇÕES**

8 damascos cortados ao meio
3 pêssegos ou nectarinas descascados, cortados ao meio e cada metade em quartos
1 abacaxi
24 morangos grandes limpos

Calda de framboesa:
375 g de framboesas congeladas (ou morangos frescos)
35 g de adoçante de frutose

1 Para fazer a calda, coloque as framboesas e o adoçante em uma panela de fundo grosso e cozinhe em fogo brando por 4-5 minutos. Passe por uma peneira não metálica, despreze a polpa e mantenha aquecida.
2 Coloque os damascos e os pêssegos ou nectarinas em uma tigela grande. Retire as pontas do abacaxi e, segurando na vertical, descasque e tire o miolo. Fatie a polpa no sentido do comprimento. Corte em pedacinhos e ponha na tigela junto com os morangos.
3 Preaqueça o forno em temperatura alta. Distribua as frutas em oito espetos grandes de metal, alternadamente. Asse por 4-5 minutos de cada lado.
4 Sirva os espetinhos com a calda de framboesa.

delícia de manga com pistache

PREPARO **5 MINUTOS, MAIS 2 HORAS PARA ESFRIAR** RENDIMENTO **6 PORÇÕES**

4 colheres (sopa) de amido de milho

250 ml de leite de coco

4 mangas maduras grandes

60 g de pistaches sem sal bem picados

2-3 colheres (sopa) de mel claro

1. Em uma tigela pequena, dissolva o amido de milho em 3 colheres (sopa) de água, até formar uma pasta lisa. Coloque o leite de coco em uma panela de fundo grosso e leve ao fogo baixo, adicionando a pasta de amido aos poucos, sempre batendo. Aqueça por 5-6 minutos até engrossar, mexa bem e deixe esfriar.
2. Descasque a manga e corte a polpa em cubos.
3. Coloque os cubos de manga e a mistura de coco em uma tigela com metade do pistache, e bata bem com um míxer. Se preferir, use o liquidificador ou o processador. Junte mel a gosto e bata rapidamente. Adicione o pistache restante, reservando 1 colher (sopa) para depois, e mexa bem.
4. Ponha o creme em taças ou em uma tigela e leve à geladeira no mínimo por 2 horas. Salpique os pistaches por cima e sirva.

fondue de chocolate com frutas

PREPARO **10 MINUTOS** COZIMENTO **10 MINUTOS** RENDIMENTO **4 PORÇÕES**

1 abacaxi

2 bananas em fatias grossas

300 g de frutas tenras (morangos e uvas)

300 g de chocolate amargo à base de soja com ao menos 70% de cacau

1 ½ colher (sopa) de melado ou mel claro

2 paus de canela

1 Corte as pontas do abacaxi e descasque segurando-o na vertical. Retire o miolo, fatie a polpa em cubos largos e ponha em uma tigela grande, junto com a banana e as outras frutas. Mexa delicadamente para misturá-las. Transfira para um prato.

2 Quebre o chocolate em pedacinhos e coloque em uma tigela refratária. Ponha sobre uma panela com água bem quente, sem deixar o fundo da tigela tocar a água. Mexa de vez em quando até o chocolate derreter.

3 Junte o melado ou o mel ao chocolate e coloque a canela, cobrindo-o bem. Aqueça em fogo baixo por 4-5 minutos. Retire do fogo e, aos poucos, junte 100-120 ml de água até obter um creme de chocolate grosso. Tire e descarte os paus de canela. Sirva o fondue com as frutas.

musse de chocolate com coco

PREPARO **10 MINUTOS** COZIMENTO **10 MINUTOS, MAIS 1 HORA PARA ESFRIAR** RENDIMENTO **6 PORÇÕES**

2 colheres (sopa) de amido de milho
250 ml de leite de coco
200 g de chocolate amargo à base de soja com ao menos 70% de cacau
3 ovos separados (gema e clara)
coco em flocos sem açúcar para enfeitar

1. Em uma tigela pequena, misture o amido de milho com 1 ½ colher (sopa) de água até formar uma pasta lisa. Coloque o leite de coco em uma panela de fundo grosso e aqueça em fogo baixo; junte a pasta de amido aos poucos, batendo sempre. Cozinhe por 5-6 minutos até engrossar, bata bem e deixe esfriar.
2. Quebre o chocolate em pedacinhos e ponha em uma tigela refratária grande sobre uma panela com água bem quente, sem deixar o fundo da tigela tocar a água. Mexa de vez em quando até o chocolate derreter.
3. Junte as gemas ao chocolate, bata bem com um míxer, retire do fogo, coloque a mistura de coco e bata bem novamente.
4. Aqueça uma frigideira de fundo grosso em fogo médio. Coloque o coco em flocos e toste até dourar levemente, mexendo sempre para não queimar. Transfira para uma tigela.
5. Bata as claras até formar picos firmes. Com uma colher de metal, incorpore à mistura de chocolate, ⅓ de cada vez, até virar um creme uniforme.
6. Coloque em seis tigelinhas com capacidade para 175 ml e deixe na geladeira pelo menos por 1 hora. Salpique o coco tostado por cima e sirva.

índice

a

b

c

d

e

Agradecimentos
Preciso agradecer a muitas pessoas pela ajuda que tive neste livro, em especial a Max e a Annabel, a toda a minha família e a meus amigos maravilhosos que experimentaram as receitas; à Katharine, pelos testes com biscoitos, e à minha irmã Kate, pelos conselhos. A Bob, Duncan, Alex e Roger pelo apoio constante a este projeto, e à equipe da DBP, que criou um livro tão lindo – especialmente a Allee, Dan, William, Jenny, Ryan, Maddie, Christine, Beverly, Sarah, Kirty, Susie, Ingrid e Uzma. Meus sinceros agradecimentos a meu marido Peter, sem o qual este livro jamais seria escrito. Sua paciência, apoio e incentivo constantes – mesmo quando eu trabalhava durante a lua de mel – foram maravilhosos.